CAROLIN EMCKE

GEGEN DEN HASS

S. FISCHER

Erschienen bei S. FISCHER
5. Auflage November 2016

© 2016 S. Fischer Verlag GmbH, Hedderichstr. 114,
D-60596 Frankfurt am Main

Satz: Dörlemann Satz, Lemförde
Druck und Bindung: CPI books GmbH, Leck
Printed in Germany
ISBN 978-3-10-397231-3

Für Martin Saar

»Wenn auch jede Gerechtigkeit mit dem Sprechen beginnt,
so ist doch nicht jedes Sprechen gerecht.«

Jacques Derrida

»Genaues Beobachten bedeutet Zerteilen.«

Herta Müller

Inhalt

Vorwort

»Ich bin versunken in tiefem Schlamm,
wo kein Grund ist;
ich bin in Wassertiefen geraten,
und die Flut schwillt über mich her.
Ich bin müde von meinem Rufen,
vertrocknet ist meine Kehle.
Meine Augen verzehren sich
im Harren auf meinen Gott.
Derer, die mich ohne Ursache hassen,
sind mehr als der Haare auf meinem Haupte.«

Psalm 69, 3–5

Manchmal frage ich mich, ob ich sie beneiden sollte. Manchmal frage ich mich, wie sie das können: so zu hassen. Wie sie sich so sicher sein können. Denn das müssen die Hassenden sein: sicher. Sonst würden sie nicht so sprechen, so verletzen, so morden. Sonst könnten sie andere nicht so herabwürdigen, demütigen, angreifen. Sie müssen sich sicher sein. Ohne jeden Zweifel. Am Hass zweifelnd lässt sich nicht hassen. Zweifelnd könnten sie nicht so außer sich sein. Um zu hassen braucht es absolute Gewissheit. Jedes Vielleicht wäre da störend. Jedes Womöglich unterwanderte den Hass, zöge Energie ab, die doch gerade kanalisiert werden soll.

11

Gehasst wird ungenau. Präzise lässt sich nicht gut hassen. Mit der Präzision käme die Zartheit, das genaue Hinsehen oder Hinhören, mit der Präzision käme jene Differenzierung, die die einzelne Person mit all ihren vielfältigen, widersprüchlichen Eigenschaften und Neigungen als menschliches Wesen erkennt. Sind die Konturen aber erst einmal abgeschliffen, sind Individuen als Individuen erst einmal unkenntlich gemacht, bleiben nur noch unscharfe Kollektive als Adressaten des Hasses übrig, wird nach Belieben diffamiert und entwertet, gebrüllt und getobt: *die* Juden, *die* Frauen, *die* Ungläubigen, *die* Schwarzen, *die* Lesben, *die* Geflüchteten, *die* Muslime oder auch *die* USA, *die* Politiker, *der* Westen, *die* Polizisten, *die* Medien, *die* Intellektuellen.[1] Der Hass richtet sich das Objekt des Hasses zurecht. Es wird passgenau gemacht.

Gehasst wird aufwärts oder abwärts, in jedem Fall in einer vertikalen Blickachse, gegen »die da oben« oder »die da unten«, immer ist es das kategorial »Andere«, das das »Eigene« unterdrückt oder bedroht, das »Andere« wird als vermeintlich gefährliche Macht oder als vermeintlich minderwertiges Ding phantasiert – und so wird die spätere Misshandlung oder Vernichtung nicht bloß *als entschuldbare*, sondern als *notwendige* Maßnahme aufgewertet. Der Andere ist der, den man straflos denunzieren oder missachten, verletzen oder töten kann.[2]

Diejenigen, die diesen Hass am eigenen Leib erleben, die ihm ausgesetzt sind, auf der Straße oder im Netz, abends oder am helllichten Tag, die Begriffe aushalten müssen, die eine ganze Geschichte der Missachtung und Misshandlung in sich tragen, diejenigen, die diese Mitteilungen erhalten, in denen ihnen der Tod, in denen ihnen sexuelle Gewalt gewünscht oder gar angedroht wird, diejenigen, denen Rechte nur teilweise zugedacht werden, deren Körper oder Kopfbedeckung verachtet werden, die sich maskieren müssen aus Angst, angegriffen zu werden, diejenigen, die nicht aus dem Haus können, weil davor eine brutalisierte, gewaltbereite Menge steht, deren Schulen oder Synagogen Polizeischutz brauchen, alle diejenigen, die der Hass zum Objekt hat, können und wollen sich nicht daran gewöhnen.

Gewiss, es gab immer diese unterschwellige Abwehr von Menschen, die als anders oder fremd wahrgenommen wurden. Das war nicht unbedingt spürbar als Hass. Es äußerte sich in der Bundesrepublik meist mehr als eine in soziale Konventionen eingeschnürte Ablehnung. Es gab in den letzten Jahren auch ein zunehmend artikuliertes Unbehagen, ob es nicht doch langsam etwas zu viel sei mit der Toleranz, ob diejenigen, die anders glauben oder anders aussehen oder anders lieben, nicht langsam auch mal zufrieden sein könnten. Es gab diesen diskreten, aber eindeutigen Vorwurf, nun sei doch seitens der Juden oder der Homosexuellen oder der Frauen auch mal etwas stille Zufriedenheit angebracht, schließlich würde ihnen so viel gestattet. Als gäbe es eine Obergrenze für Gleichberechtigung. Als dürften Frauen oder Schwule bis hierher gleich sein, aber dann sei auch Schluss. Ganz gleich? Das ginge dann doch etwas zu weit. Das wäre dann ja ... *gleich*.

Dieser eigentümliche Vorwurf der mangelnden Demut paarte sich klammheimlich mit Eigenlob für die bereits erbrachte Toleranz. Als sei es eine besondere Leistung, dass Frauen überhaupt arbeiten dürfen – aber warum dann auch noch für denselben Lohn? Als sei es doch lobenswert, dass Homosexuelle nicht mehr kriminalisiert und eingesperrt werden. Dafür sei doch jetzt mal etwas Dankbarkeit angebracht. Dass sich Homosexuelle privat lieben, das sei ja in Ordnung, aber warum auch noch öffentlich heiraten?[3]

Gegenüber Muslimen drückte sich die janusköpfige Toleranz oft in der Vorstellung aus, dass Muslime schon hier leben dürften, aber religiös muslimisch sollten sie nur ungern sein. Religionsfreiheit wurde besonders dann akzeptiert, wenn die christliche Religion gemeint war. Und dann war über die Jahre immer häufiger zu hören, es müsse doch langsam einmal Schluss sein mit der ewigen Auseinandersetzung mit der Shoah. Als gäbe es für das Gedenken an Auschwitz eine begrenzte Haltbarkeit wie bei einem Joghurt. Und als sei die Reflexion auf die Verbrechen des Nationalsozialismus eine touristische Aufgabe, die sich, einmal betrachtet, abhaken ließe.

Aber etwas hat sich verändert in der Bundesrepublik. Es wird offen und hemmungslos gehasst. Mal mit einem Lächeln im

Gesicht, mal ohne, aber allzu oft schamlos. Die Drohbriefe, die es anonym schon immer gab, sind heute mit Namen und Adresse gezeichnet. Im Internet artikulierte Gewaltphantasien und Hasskommentare verbergen sich oft nicht mehr hinter Decknamen. Hätte mich vor einigen Jahren jemand gefragt, ob ich mir vorstellen könnte, dass jemals wieder *so* gesprochen würde in dieser Gesellschaft? Ich hätte es für ausgeschlossen gehalten. Dass der öffentliche Diskurs jemals wieder so verrohen könnte, dass so entgrenzt gegen Menschen gehetzt werden könnte, das war für mich unvorstellbar. Es scheint fast, als hätten sich herkömmliche Erwartungen an das, was ein Gespräch sein sollte, umgekehrt. Als hätten sich die Standards des Miteinanders schlicht verkehrt: als müsse sich schämen, wer Respekt anderen gegenüber für eine so einfache wie selbstverständliche Form der Höflichkeit hält, und als dürfe stolz sein, wer anderen den Respekt verweigert, ja, wer möglichst laut Grobheiten und Vorurteile herausschleudert.

Nun, ich halte es für keinen zivilisatorischen Zugewinn, wenn ungebremst gebrüllt, beleidigt und verletzt werden darf. Ich halte es für keinen Fortschritt, wenn jede innere Schäbigkeit nach außen gekehrt werden darf, weil angeblich neuerdings dieser Exhibitionismus des Ressentiments von öffentlicher oder gar politischer Relevanz sein soll. Wie viele andere will ich mich nicht daran gewöhnen. Ich will die neue Lust am ungehemmten Hassen nicht normalisiert sehen. Weder hier noch in Europa noch anderswo.

Denn der Hass, von dem hier die Rede sein wird, ist so wenig individuell wie zufällig. Er ist nicht einfach nur ein vages Gefühl, das sich mal eben, aus Versehen oder aus vorgeblicher Not, entlädt. Dieser Hass ist kollektiv und er ist ideologisch geformt. Der Hass braucht vorgeprägte Muster, in die er sich ausschüttet. Die Begriffe, in denen gedemütigt, die Assoziationsketten und Bilder, in denen gedacht und sortiert, die Raster der Wahrnehmung, in denen kategorisiert und abgeurteilt wird, müssen vorgeformt sein. Der Hass bricht nicht plötzlich auf, sondern er wird gezüchtet. Alle, die ihn als spontan oder individuell deuten, tragen unfreiwillig dazu bei, dass er weiter genährt werden kann.[4]

Dabei ist der Aufstieg aggressiv-populistischer Parteien oder Bewegungen in der Bundesrepublik (und in Europa) noch nicht einmal das Beunruhigendste. Da gibt es noch Grund zu der Hoffnung, dass sie sich mit der Zeit selbst zerlegen werden durch individuelle Hybris, wechselseitige Animositäten oder schlicht den Mangel an Personal, das professionell politisch zu arbeiten in der Lage wäre. Von einem anti-modernistischen Programm, das die soziale, ökonomische, kulturelle Wirklichkeit einer globalisierten Welt leugnet, einmal ganz abgesehen. Vermutlich verlieren sie ihre Attraktivität auch, wenn sie in öffentliche Auseinandersetzungen gezwungen werden, in denen sie argumentieren und auch auf ihr Gegenüber eingehen müssen, wenn von ihnen sachliche Erörterungen komplexer Fragen verlangt werden. Vermutlich verlieren sie auch ihre vermeintlich dissidente Besonderheit, wenn ihnen in einzelnen Punkten, wo es angebracht ist, auch einmal zugestimmt wird. Das macht die Kritik an anderen Stellen nur wirksamer. Vermutlich braucht es nicht zuletzt tiefgreifende ökonomische Programme, die den sozialen Unmut über wachsende Ungleichheit und die Angst vor Altersarmut in strukturschwachen Regionen und Städten angehen.

Was viel bedrohlicher ist: das Klima des Fanatismus. Hier und anderswo. Diese Dynamik aus immer fundamentalerer Ablehnung von Menschen, die anders oder nicht glauben, die anders aussehen oder anders lieben als eine behauptete Norm. Diese wachsende Verachtung von allem Abweichenden, die sich verbreitet und nach und nach alle beschädigt. Weil wir, die wir gemeint sind von diesem Hass oder ihn bezeugen, allzu oft entsetzt verstummen, weil wir uns einschüchtern lassen, weil wir nicht wissen, wie wir diesem Gebrüll und dem Terror begegnen sollen, weil wir uns wehrlos fühlen und gelähmt, weil es uns die Sprache verschlagen hat vor Grauen. Denn das ist ja leider eine der Wirkungen des Hasses: dass er die, die ihm ausgeliefert sind, erst einmal verstört, dass er ihnen die Orientierung nimmt und das Vertrauen.

Dem Hass begegnen lässt sich nur, indem man seine Einladung, sich ihm anzuverwandeln, ausschlägt. Wer dem Hass mit Hass begegnet, hat sich schon verformen lassen, hat sich schon jenem angenähert, von dem die Hassenden wollen, dass man es sei. Dem Hass begegnen lässt sich nur durch das, was dem Hassenden abgeht: genaues Beobachten, nicht nachlassendes Differenzieren und Selbstzweifel. Das verlangt, den Hass langsam in seine Bestandteile aufzulösen, ihn als akutes Gefühl von seinen ideologischen Voraussetzungen zu trennen und zu betrachten, wie er in einem spezifischen historischen, regionalen, kulturellen Kontext entsteht und operiert. Das mag nach wenig aussehen. Das mag bescheiden daherkommen. Die wirklich Fanatischen seien so nicht zu erreichen, ließe sich einwenden. Das mag sein. Aber es würde schon helfen, wenn die Quellen, aus denen der Hass sich speist, die Strukturen, die ihn ermöglichen, die Mechanismen, denen er gehorcht, besser erkennbar wären. Es würde schon helfen, wenn denjenigen, die dem Hass zustimmen und applaudieren, die Selbstgewissheit genommen würde. Wenn denjenigen, die den Hass vorbereiten, indem sie seine Denk- und Blickmuster prägen, ihre fahrlässige Naivität oder ihr Zynismus genommen würden. Wenn nicht mehr die, die sich leise und friedlich engagieren, sich rechtfertigen müssten, sondern die, die jene verachten. Wenn nicht mehr die, die sich selbstverständlich notleidenden Menschen zuwenden, Gründe liefern müssten, sondern diejenigen, die das Selbstverständliche verweigern. Wenn nicht mehr die, die ein offenes, humanes Miteinander wollen, sich verteidigen müssten, sondern die, die es unterwandern.

Hass und Gewalt in den sie ermöglichenden Strukturen zu betrachten heißt auch: die Kontexte der vorgängigen Rechtfertigung und der nachträglichen Zustimmung sichtbar zu machen, ohne die sie nicht gedeihen könnten. Die verschiedenen Quellen zu betrachten, aus denen sich in einem konkreten Fall Hass oder Gewalt speisen, wendet sich gegen den populären Mythos, Hass sei etwas Natürliches, etwas Gegebenes. Als sei Hass authentischer als Achtung. Aber Hass ist nicht einfach da. Er wird gemacht. Auch Gewalt ist nicht einfach da. Sie wird vorbereitet. In welche Richtung sich Hass und Gewalt entladen, gegen wen sie sich richten, welche Schwellen und Hemmnisse vorher abgebaut werden müssen, all das ist nicht zufällig, nicht einfach vorgegeben, sondern das wird kanalisiert. Hass und Gewalt nicht allein zu verurteilen, sondern in ihrer Funktionsweise zu betrachten heißt dagegen, immer auch zu zeigen, wo etwas *anderes* möglich gewesen wäre, wo jemand sich hätte *anders* entscheiden können, wo jemand hätte *einschreiten* können, wo jemand hätte *aussteigen* können. Hass und Gewalt in ihren präzisen Abläufen zu beschreiben heißt, immer auch die Möglichkeit aufzuzeigen, wo sie unterbrochen oder unterwandert werden können.

Den Hass nicht erst ab dem Moment zu betrachten, wo er sich blindwütig entlädt, eröffnet andere Handlungsoptionen: Für bestimmte Formen des Hasses sind Staatsanwaltschaft und Polizei zuständig. Aber für die Formen der Ausgrenzung und Eingrenzung, für die kleinen und gemeinen Techniken der Exklusion in Gesten und Gewohnheiten, Praktiken und Überzeugungen, dafür sind alle in der Gesellschaft zuständig. Den Hassenden den Raum zu nehmen, sich ihr Objekt passgenau zuzurichten, dafür sind wir alle als Zivilgesellschaft zuständig. Das lässt sich nicht delegieren. Denen beizustehen, die bedroht sind, weil sie anders aussehen, anders denken, anders glauben oder anders lieben, verlangt nicht viel. Es sind Kleinigkeiten, die den Unterschied ausmachen können und die den sozialen oder diskursiven Raum für diejenigen öffnen, die aus ihm vertrieben werden sollen. Vielleicht ist der wichtigste Gestus gegen den Hass: sich nicht vereinzeln zu lassen. Sich nicht in die Stille, ins Private, ins Geschützte des eigenen Refugiums oder Milieus drängen zu lassen. Vielleicht ist die wichtigste Bewegung die aus sich heraus. Auf die anderen zu. Um mit ihnen gemeinsam wieder die sozialen und öffentlichen Räume zu öffnen.

Jene, die dem Hass ausgeliefert sind und darin alleingelassen werden, fühlen sich, wie es die klagende Stimme in dem oben zitierten Psalm artikuliert: »versunken in tiefem Schlamm, wo kein Grund ist«. Sie haben keinen Halt mehr. Sie fühlen sich in Wassertiefen geraten, und die Flut schwillt über sie her. Es gilt: sie nicht alleinzulassen, ihnen zuzuhören, wenn sie rufen. Nicht zuzulassen, dass die Flut des Hasses weiter anschwillt. Einen festen Grund zu schaffen, auf dem alle stehen können – darauf kommt es an.

1. SICHTBAR – UNSICHTBAR

»Ich bin ein Unsichtbarer. (…) Die Unsichtbarkeit,
die ich meine, ist die Folge einer eigenartigen Anlage
der Augen derer, mit denen ich in Berührung komme.«
Ralph Ellison, Unsichtbar

Er ist ein Mensch aus Fleisch und Blut. Kein Gespenst, keine
filmische Figur. Sondern ein Wesen mit einem Körper, der
einen eigenen Raum einnimmt, Schatten wirft, potentiell im
Weg stehen oder die Sicht versperren könnte, so erzählt es die
schwarze Hauptfigur in Ralph Ellisons berühmtem Roman
Unsichtbar aus dem Jahr 1952. Jemand, der spricht und anderen in die Augen schaut. Und doch ist es, als sei er umgeben
von verzerrenden Spiegeln, in denen die, die ihm begegnen,
lediglich sich selbst oder seine Umgebung sehen. Alles andere,
nur nicht ihn. Wie lässt sich das erklären? Weshalb können
ihn *weiße* Menschen nicht sehen?

Ihre Sehkraft ist nicht geschwächt, es ist nichts, was sich
physiologisch begründen ließe, sondern eine innere Haltung
der Betrachter, die ihn ausblendet und verschwinden lässt.
Er existiert für andere nicht. Als sei er Luft oder ein lebloses

Ding, ein Laternenmast, etwas, dem man allenfalls ausweichen muss, aber das keine Ansprache, keine Reaktion, keine Aufmerksamkeit verdient. Nicht gesehen, nicht erkannt zu werden, unsichtbar zu sein für andere, ist wirklich die existentiellste Form der Missachtung.[1] Die unsichtbar sind, die sozial nicht wahrgenommen werden, gehören zu keinem Wir. Ihre Äußerungen werden überhört, ihre Gesten werden übersehen. Die unsichtbar sind, haben keine Gefühle, keine Bedürfnisse, keine Rechte.

Auch die afro-amerikanische Dichterin Claudia Rankine erzählt in ihrem jüngsten Buch *Citizen* von der Erfahrung der Unsichtbarkeit: Ein schwarzer Junge wird in der U-Bahn von einem Fremden »übersehen« und zu Boden gerempelt. Der Mann hält nicht inne, hilft dem Jungen nicht auf, entschuldigt sich nicht. Als habe es gar keine Berührung gegeben, als sei da kein Mensch gewesen. Rankine schreibt »… und Du willst, dass es aufhört, Du willst, dass das zu Boden gestoßene Kind gesehen, dass ihm aufgeholfen, dass es von der Person abgeklopft wird, die es nicht gesehen hat, die es noch nie gesehen hat, die vielleicht noch nie jemanden gesehen hat, der nicht ein Ebenbild ihrer selbst ist.«[2]

Du willst, dass es aufhört. Du willst nicht, dass nur manche sichtbar sind, nur diejenigen, die irgendeinem Ebenbild entsprechen, das jemand einmal erfunden und als Norm ausgegeben hat, Du willst, dass es reicht, ein Mensch zu sein, dass es keine weiteren Eigenschaften oder Merkmale braucht, um gesehen zu werden. Du willst nicht, dass diejenigen, die etwas anders aussehen als die Norm, übersehen werden, Du willst nicht, dass es überhaupt eine Norm gibt für das, was gesehen, und das, was nicht gesehen wird. Du willst nicht, dass die, die abweichen, weil sie eine andere Hautfarbe haben oder einen anderen Körper, weil sie anders lieben oder anders glauben oder anders hoffen als die das Ebenbild prägende Mehrheit, zu Boden gestoßen werden. Du willst, dass es aufhört, weil es eine Kränkung für alle ist, nicht nur für diejenigen, die übersehen und zu Boden gestoßen werden.

Wie aber entsteht diese »eigenartige Anlage der Augen«, von der Ralph Ellison spricht? Wie werden bestimmte Menschen für andere unsichtbar? Welche Affekte befördern diese Weise des Sehens, die manche sichtbar und andere unsichtbar werden lässt? Welche Vorstellungen nähren diese innere Haltung, die andere aus- oder überblenden lässt? Durch wen und was wird diese Haltung geformt? Wie vervielfältigt sie sich? Welche historischen Erzählungen prägen die Blick-Regime, die verzerren oder ausblenden? Wie entsteht der Rahmen, der die Deutungsmuster vorgibt, in denen bestimmte Menschen als unsichtbar und unwichtig oder als bedrohlich und gefährlich gesehen werden?

Und vor allem: Was bedeutet das für diejenigen, die nicht mehr gesehen, die nicht mehr als Menschen wahrgenommen werden? Wenn sie übersehen oder als etwas anderes gesehen werden, als sie sind? Als Fremde, als Kriminelle, als Barbaren, als Kranke, in jedem Fall aber als Angehörige einer Gruppe, nicht als Individuum mit verschiedenen Fähigkeiten und Neigungen, nicht als verletzbares Wesen mit einem Namen und Gesicht? Wie sehr nimmt diese soziale Unsichtbarkeit ihnen auch ihre Orientierung, wie sehr lähmt es sie in ihrer Fähigkeit, sich zu wehren?

*

Liebe

»Gefühle glauben nicht an das Realitätsprinzip.«

Alexander Kluge, Die Kunst, Unterschiede zu machen

»Hol mir die Blum!«, mit dieser Anweisung schickt Oberon, der König der Elfen, seinen Hofnarr, den Droll, auf die Suche nach jenem magischen Saft, der liebestoll macht. Die Wirkung des Krauts ist fatal: Wer immer Tropfen dieser Blume im Schlaf verabreicht bekommt, verliebt sich in die erstbeste Kreatur, die er beim Aufwachen erblickt. Weil der Droll nicht gerade der Klügste aller Elfen ist und aus Versehen den Saft nicht den von Oberon vorgesehenen Figuren verabreicht, entwickeln sich im *Sommernachtstraum* die wunderbarsten Verwicklungen und Verwirrungen. Besonders arg trifft es Titania, die Königin der Elfen, und den Weber Zettel. Droll verzaubert den Ahnungslosen in ein Wesen mit riesigem Eselskopf. Der gutmütige Zettel, der seine Verunstaltung nicht bemerkt, ist völlig überrascht, dass auf einmal alle vor ihm davonlaufen. »Gott behüte Dich, Zettel! Gott, behüte Dich!«, sagt sein Freund, als er die hässliche Gestalt sieht und versucht, ihm die Wahrheit möglichst schonend beizubringen. »Du bist *transferiert*.« Zettel hält alles für eine

27

grobe Albernheit der Freunde: »Sie wollen einen Esel aus mir machen, mich fürchten machen, wenn sie können«, erklärt er und spaziert trotzig singend davon.

Derart animalisch verwandelt begegnet Zettel im Wald Titania, der zuvor im Schlaf der Zaubertrank verabreicht wurde. Und die Magie wirkt: Kaum hat sie Zettel erblickt, verliebt sie sich schon in ihn. »Auch ist mein Auge / betört von deiner lieblichen Gestalt; / Gewaltig treibt mich deine schöne Tugend, / Beim ersten Blick dir zu gestehn, zu schwören: / Dass ich dich liebe.«

Nichts gegen Esel, aber: Da steht ein halbes Viech vor Titania, und sie spricht von einer »lieblichen Gestalt«? Wie kann das sein? Was sieht sie nicht oder anders? Kann es sein, dass Titania Zettels riesige Ohren gar nicht wahrnimmt? Nicht sein zotteliges Fell? Nicht sein großes Maul? Vielleicht schaut sie auf Zettel und sieht doch nicht die genauen Konturen, die Details ihres Gegenübers. Ihr erscheint das Tier als eine rundum »liebliche Gestalt«. Vielleicht blendet sie all jene Eigenschaften und Merkmale, die nicht gerade dem Prädikat »lieblich« entsprechen, einfach aus. Sie ist berührt, gerührt, »vergafft«, und diese Euphorie setzt anscheinend einige kognitive Funktionen außer Kraft. Vielleicht, das wäre eine andere Möglichkeit, *sieht* sie sogar die riesigen Ohren, das zottelige Fell und das Maul, aber unter dem Eindruck des Zauberkrauts *bewertet* sie diese Aspekte des Gegenübers anders als im normalen Zustand. Sie sieht die riesigen Ohren zwar, aber sie erscheinen ihr auf einmal bezaubernd und lieblich.

Was bei Shakespeare der dramaturgische Kunstgriff des Blümchensafts bewirkt, ist auch uns vertraut: Wie die Liebe (oder die Lust) einem plötzlich widerfährt. Wie sie einen völlig unvorbereitet trifft und als Ganzes erfasst. Wie sie einem die Sinne raubt. Das ist berückend. Nun verfällt Titania aber nicht Zettel, weil Zettel so ist, wie er ist, sondern schlicht, weil er der Erste ist, den sie nach dem Aufwachen erblickt. Zettel ist es zwar, den sie im Zustand ihrer Verzauberung liebt, und was sie in oder an ihm sieht, erscheint ihr tatsächlich liebenswert. Sie könnte sogar Gründe nennen, warum sie Zettel liebt, und doch sind sie nicht der wahre Grund für ihre Liebe. In der Geschichte der Liebe zwischen Titania und Zettel erzählt Shakespeare von jenen emotionalen Zuständen, bei denen Ursache und Objekt der Emotionen nicht zusammenfallen. Wer schlecht geschlafen hat und gereizt ist, dem erscheint der nichtigste Anlass als Gelegenheit, seinen Ärger zu entladen. Das trifft dann womöglich den Erstbesten, der einem begegnet und der nicht weiß, wie ihm geschieht – und der den Ärger auch gar nicht verursacht hat. Eine Emotion kann durchaus durch etwas anderes *ausgelöst* werden als das Ding oder Wesen oder Ereignis, auf das sie sich *richtet*. Zettel ist zwar das Objekt von Titanias Liebe, aber nicht deren Ursache.

Und noch etwas anderes verbirgt sich in dieser Geschichte: In der Liebe geht es, wie bei anderen Emotionen auch, um *aktive Weisen des Sehens*. Titania betrachtet Zettel, das Objekt ihrer Liebe, nicht neutral, sondern sie beurteilt und bewertet es: »lieblich«, »tugendhaft«, »betörend«, »begehrenswert«. Dabei verhindert die Verliebtheit mit der ihr eigenen Wucht gelegentlich unpassende, weil unerwünschte Wahrnehmungen: Hinweise auf unangenehme Eigenschaften oder Gewohnheiten des begehrten Menschen werden unter dem liebenden Blick unsichtbar. Was womöglich gegen diese Liebe spräche, was immer dem eigenen Gefühl und der Lust sich entgegenstellen könnte, wird – zumindest im ersten Rausch – zurückgedrängt. Das Objekt der Liebe wird so der Liebe *zupass* gemacht.

Vor vielen Jahren erklärte mir einmal ein junger Übersetzer in Afghanistan, warum es sinnvoll sei, dass die Eltern für ihren Sohn die Braut auswählten. Schließlich, so argumentierte er sanft, aber bestimmt, sei man im Zustand der Verliebtheit völlig verblendet und könne nicht wirklich beurteilen, ob die verehrte Frau tatsächlich zu einem passe. Die Liebe als Form geistiger Umnachtung halte jedoch erfahrungsgemäß nicht ewig, die magische Wirkung des Shakespeare'schen Krauts lasse nach – und dann? Dann sei es eben besser, wenn die eigene Mutter vorher mit nüchternem Blick eine Frau ausgewählt habe, die auch jenseits der Liebesverwirrung zu einem passe. Er selbst hatte seine Frau am Tag der Hochzeit

das erste Mal unverschleiert gesehen und in der Hochzeits-
nacht das erste Mal mit ihr allein gesprochen. War er glück-
lich? Ja, sehr.[3]

Es gibt verschiedene Formen des Überblendens. Die Liebe
ist nur eines der Gefühle, die uns die Wirklichkeit ausblenden lassen. Bei der Liebe kommt diese Selbstbefangenheit,
die sich durch nichts irritieren lässt, sympathisch daher. Weil
sie das Gegenüber aufwertet und ihm einen wohlmeinenden
Vorschuss gewährt. Weil der oder die Geliebte von der Projektion *profitiert*. Liebe besticht in gewisser Weise ja gerade durch
ihre Kraft, alle Widerstände oder Hindernisse in der Wirklichkeit zu überschreiten. Wer liebt, will sich mit Einwänden
oder Zweifeln nicht herumschlagen. Wer liebt, will sich nicht
erklären müssen. Jedes einzelne Argument, jeder einzelne Verweis auf diese oder jene Eigenschaft wirkt für die Liebenden,
als ob es die Liebe schmälerte. Kurioserweise ist Liebe eine
Form der Anerkennung des oder der Anderen, die nicht unbedingt Erkennen voraussetzt. Sie setzt lediglich voraus, dass
ich dem Wesen bestimmte Eigenschaften zuschreibe, die ich
als »lieblich«, »tugendhaft«, »betörend«, »begehrenswert« be-
greife.[4] Und seien es Eselsohren und ein zotteliges Fell.

*

Hoffnung

»Nichtige und trügerische Hoffnung ist Sache des Toren«
Das Buch Jesus Sirach, Kap. 34

In der Sage der Pandora, wie sie Hesiod erzählt, schickt Zeus die Pandora mit einer Büchse voller Laster und Übel auf die Erde herunter. Das Behältnis mit den bis dahin den Menschen unbekannten Schrecken soll unbedingt verschlossen bleiben. Doch als Pandora, von Neugierde getrieben, den Deckel lupft und hineinschaut, entschlüpfen der Büchse Krankheit, Hunger und Sorge und verbreiten sich auf der Erde. Was Pandora jedoch übersieht, ist die Hoffnung, die am Boden der Büchse zurückbleibt, als sie sie wieder schließt. Die Hoffnung gehörte für Zeus also offensichtlich zu den Übeln. Warum? Ist sie nicht etwas Gutes? Etwas, das uns inspiriert, uns positiv stimmt und zu guten Taten antreibt? Ist nicht die Hoffnung, wie auch die Liebe, unverzichtbar?

Gewiss, doch hier ist nicht jene Hoffnung gemeint, die als begründete Voraussicht oder als existentielle Zuversicht verstanden werden kann. Die ist wünschenswert und wird gebraucht. Die Hoffnung aber, von der Hesiod schreibt, ist jene Form leerer Hoffnung, die sich auf illusionäre Annahmen stützt. Wer so hofft, krankt an der Neigung, sich selbst zu überzeugen, dass geschehen wird, wonach er oder sie sich sehnt. Es ist eine Art unbegründete Vorfreude, die schlicht ignoriert, was sich doch erkennen ließe. Immanuel Kant spricht in diesem Zusammenhang von der »Parteilichkeit der Verstandeswaage«, also einer Voreingenommenheit durch die Hoffnung.

Wer sich unbedingt wünscht, dass etwas einen guten Ausgang nehme, wendet den Blick von jenen Indizien, die diese Hoffnung schmälern könnten. Was auch immer einem ersehnten Szenario entgegensteht, wird, bewusst oder unbewusst, überblendet und unsichtbar gemacht. Ob es militärische, ökonomische oder medizinische Aussichten sind, leicht verschleiert die Hoffnung die Sicht auf jene Details oder Hinweise, die den eigenen Annahmen zuwiderlaufen. Sie stören, weil sie Anlass gäben, die allzu günstige Prognose zu revidieren. Sie nerven auch irgendwie, weil sie den eigenen optimistischen Schwung, das eigene Wunschdenken bremsen. Es macht Mühe, sich der unangenehmen, komplizierten, ambivalenten Wirklichkeit zu stellen.

Wenn ein Freund uns versichert, nicht süchtig zu sein, dann wünschen wir uns, dass es stimmen möge. Wir sehen zu, wie er trinkt, wie sich nach und nach der Rhythmus der Begegnungen und der Freundschaft dem Rhythmus der Sucht anpasst, wie ihn die Sucht mit der Zeit immer mehr entfremdet von sich selbst – und wir wollen es dennoch nicht wahrhaben. Wir hoffen, dass wir uns irren, hoffen, dass wir nicht erleben, was wir erleben: Ein Freund ist krank und geht uns verloren. Wir hoffen auf Besserung und verhindern sie zugleich, weil sie nur mit einem unverstellten Blick auf die Sucht beginnen könnte.

Manchmal werden im Hoffen die düsteren Anzeichen eines unguten Ausgangs nicht ausgeblendet, sondern umgedeutet. Sie werden eingefügt in eine günstigere Lesart, eine, die froher stimmt, weil sie eben ein besseres Ende verspricht. Eine Erzählung, die womöglich aber auch deswegen froher stimmt, weil sie einem weniger abverlangt. Irgendwann gibt es bei dem Freund vielleicht doch eine Einsicht in seine Abhängigkeit, es folgen Gespräche, in denen er versichert, alle Mechanismen der eigenen Sucht durchschaut zu haben. Er analysiert sich selbst besser, als wir es jemals könnten. Und wieder hoffen wir, dass alles einen guten Ausgang nehmen werde. Alle Hinweise, die der Hoffnung widersprechen könnten, alles, was die eigene Erwartung womöglich als unrealistisch oder naiv entlarven könnte, wird unsichtbar. Vielleicht kommt auch dazu, dass wir den Konflikt scheuen. Wer will schon gern einem Freund etwas sagen, das der nicht hören will? Wer will schon intervenieren und nerven und die Freundschaft in Frage stellen? Und so blendet die trügerische Hoffnung weiterhin alles aus, was doch offensichtlich sein könnte: Jemand ist krank und zerstört sich selbst.

*

Sorge

»Wen ich einmal mir besitze,
Dem ist alle Welt nichts nütze;
Ewiges Düstre steigt herunter,
Sonne geht nicht auf noch unter,
Bei vollkommen äußern Sinnen
Wohnen Finsternisse drinnen,
Und er weiß von allen Schätzen
Sich nicht in Besitz zu setzen.«

Die Sorge, in: Johann Wolfgang von Goethe,
Faust. Der Tragödie zweiter Teil

»Wen ich einmal mir besitze, dem ist alle Welt nichts nütze.«
Mit diesen Worten erklärt sich die Figur der Sorge in Goethes
Faust. Es ist Mitternacht, den alternden Faust im Palast wollen »vier graue Weiber« – der Mangel, die Not, die Schuld
und die Sorge – heimsuchen, doch die Tür ist verschlossen.
Nur die Sorge schleicht sich durchs Schlüsselloch hinein. Als
Faust sie bemerkt, versucht er die Sorge von sich fernzuhal-
ten, er wehrt ab, was sie sagt (»Hör auf! so kommst Du mir
nicht bei! / Ich mag nicht solchen Unsinn hören. / Fahr hin!
die schlechte Litanei, / Sie könnte selbst den klügsten Mann
betören.«). Faust weiß wohl um die gefährliche Macht der
Sorge, wie sie selbst belanglose Tage verwandelt in »garstigen

Wirrwarr«, wie sie allen Besitz, alles Glück als nichtig erscheinen lässt und alle günstigen Aussichten mit einem düsteren Schleier überzieht. Doch so sehr Faust sich auch bemüht, die Sorge lässt sich nicht vertreiben. Bevor sie schließlich geht, haucht sie Faust an – und dieser *erblindet*.

Die Sorge, wie Goethe sie uns beschreibt, nimmt Besitz vom Inneren einer Person. Dem erblindeten Faust schwindet (mit dem Sehen) die äußere Welt. Er »sieht« nur noch die Dämonen, die ihm das Leben vergällen, weil sie alles bedenklich, bedrohlich, hinderlich erscheinen lassen. Während die Hoffnung das ausblendet, was ihrer optimistischen Erwartung widerspricht, so leugnet die Sorge das, was ihre ängstlichen Vorahnungen entkräften könnte.

Natürlich gibt es auch berechtigte Formen der Sorge, solche, die etwas mit Umsicht, mit Achtsamkeit, ja mit Für-Sorge für andere zu tun haben. Aber an dieser Stelle interessiert jene Sorge, die sich aus sich selbst speist und die negiert, was doch zu sehen und zu wissen wäre. Jene Sorge, die sich nicht befragen lässt, die ausblendet, was ihr widerspricht. Auch die Sorge (wie die Liebe und die Hoffnung) richtet den Blick auf etwas in der Welt, in diesem Fall etwas, das als (vermeintlicher) Grund zur Sorge ausgemacht wird. Aber so wie Titania zwar Gründe liefern kann, warum sie Zettel liebt und trotzdem Zettel selbst nicht der Grund ihrer Verliebtheit ist – so kann auch die Sorge sich auf etwas richten, das keinen Anlass zur

Sorge gibt. Das Objekt der Sorge ist nicht unbedingt dasselbe wie ihre Ursache. Auch das Objekt der Sorge wird manchmal der Sorge *zupass* gemacht.

Wer denkt, die Erde sei eine Scheibe, macht sich womöglich ungeheure Sorgen *herunter*zufallen. Diese Sorge vor dem Abgrund lässt sich durchaus rational begründen: Wenn die Erde eine Scheibe ist, dann gibt es auch eine Kante, an der man abstürzen kann. Es ist völlig berechtigt, mit der Kante einen Abgrund zu assoziieren – und sich davor zu fürchten. Diejenigen, die sich sorgen, weil sie denken, die Erde sei eine Scheibe, können nicht begreifen, wie andere nur so ruhig bleiben können, wie sie in ihrer illusionären Entspanntheit vor sich hin leben können, als gäbe es die Gefahr des Abgrunds nicht. Diejenigen, die sich sorgen, jeder könnte an der Kante herunterfallen, verstehen nicht, warum nicht mehr gegen diese Gefahr unternommen wird. Sie verzagen an realitätsblinden, ahnungslosen Politikern, die nicht aktiv werden, die ihre Bürger nicht besser schützen, die keine Sicherheitszonen einrichten wollen vor dem Abgrund, ja, die womöglich sogar behaupten, Abgründe seien weit und breit nicht zu sehen. Das ist in sich absolut schlüssig. Nur: die Erde *ist* eben keine Scheibe.

Vielleicht ist die Ursache, also das, was tatsächlich Anlass zu Sorge gibt, zu groß oder zu vage, um es zu erfassen. Vielleicht lässt sich das, was einem Sorgen bereitet, nicht *dingfest* machen, eben weil es einem solche Angst einflößt und diese Angst einen lähmt. Dann sucht sich die Sorge ein anderes, handlicheres Objekt, etwas, auf das sich fokussieren lässt, das nicht ohnmächtig, sondern handlungsfähig macht. Für einen Moment zumindest. Für einen kleinen Moment gelingt es dann, die bedrohlichen, beängstigenden Phänomene auszuschalten oder durch andere, die sich leichter bekämpfen lassen, zu ersetzen.

Die Sorge erlebt zur Zeit eine erstaunliche Aufwertung. In der Sorge, so die rhetorische Suggestion, artikuliere sich ein berechtigtes Unbehagen, ein Affekt, der politisch ernst genommen und keinesfalls kritisiert werden sollte. Als seien ungefilterte Gefühle per se berechtigt. Als käme unreflektierten Gefühlen eine ganz eigene Legitimität zu. Als müssten Gefühle nicht nur empfunden, sondern unbedingt auch ungehemmt in der Öffentlichkeit ausgestellt und geäußert werden. Als würde jedes Abwägen und Nachdenken, jede Form der Skepsis den eigenen Gefühlen oder Überzeugungen gegenüber die Befriedigung der eigenen Bedürfnisse auf inakzeptable Weise einschränken. Die Sorge wird so erhoben zu einer politischen Kategorie von eigentümlicher Autorität.

Natürlich gibt es soziale, politische oder ökonomische Sorgen, über die sich öffentlich debattieren lässt. Natürlich gibt es nachvollziehbare Gründe, warum Menschen, die ungeschützter, verwundbarer, marginalisierter sind als andere, sich Sorgen machen über die wachsende soziale Ungleichheit, über die unsicheren Aufstiegschancen ihrer Kinder, über die fehlenden Gelder in den Kommunen oder die zunehmende Verwahrlosung öffentlicher Einrichtungen. Und natürlich gibt es auch berechtigte Fragen, wo und wie sich die eigenen politischen oder sozialen Zweifel und Nöte artikulieren lassen. Ich teile durchaus einige Sorgen, die mit der politischen Reaktion auf die Zuwanderung zu tun haben: Wie sich jene kurzsichtige Wohnungspolitik verhindern lässt, heute eilig und billig Massenunterkünfte in abgelegenen Gegenden zu bauen, die morgen als kulturelle und soziale »Slums« beklagt werden. Wie sich eine Bildungspolitik gestalten lässt, die nicht nur die jungen Männer adressiert, die auf dem Arbeitsmarkt gebraucht werden, sondern auch deren Mütter, die über jene Sprache verfügen sollten, in der ihre Kinder und Enkel aufwachsen werden, die Sprache der Behörden, der Welt um sie herum. Wie sich die Geflüchteten schützen lassen vor dem sich ausbreitenden Rassismus und der Gewalt. Und wie eine Hierarchisierung des Leids oder der Armut zwischen verschiedenen marginalisierten Gruppen vermieden werden kann. Wie sich eine Erinnerungskultur gestalten lässt, ohne sie zu einer ethnischen Geschichte zu machen, die andere ausschließt. Wie die Erzählung der Vergangenheit sich öffnen und weiten kann, ohne den Bezug zur Shoah zu verlieren. All das sind Sorgen, bei denen auch ich nicht sagen kann, wie nötig sie sind. Aber sie lassen sich öffentlich diskutieren und konfrontieren mit vernünftiger Kritik.

Der Begriff vom »besorgten Bürger« dagegen fungiert mittlerweile als ein diskursiver Schild, der Fragen nach rationalen Gründen für Sorgen abwehren soll. Als seien Sorgen an sich schon ein triftiges Argument in einem öffentlichen Diskurs – und nicht bloß ein Affekt, der berechtigt oder unberechtigt, angemessen oder unangemessen, vernünftig oder übertrieben sein kann. Als ließe sich bei der Sorge nicht auch, wie bei der Liebe oder der Hoffnung, fragen, worauf sie sich bezieht, was sie ausgelöst hat und ob Ursache und Objekt übereinstimmen. Als käme der Sorge nicht jene Macht zu, von der Goethe im *Faust* erzählt: Wen sie einnimmt, dem verdunkelt die Sorge den Blick und den lässt sie alles, was stabil und sicher ist, alles Glück und allen Wohlstand nicht mehr erkennen.

Dabei müssen keineswegs die Menschen, die sich sorgen, abgewertet werden. Aber sie müssen zulassen, dass das, was sich als Sorge ausgibt, genau betrachtet und zerteilt wird in seine Bestandteile. Diejenigen, die sich sorgen, müssen aushalten, dass differenziert wird zwischen einer Sorge und dem, was die Philosophin Martha Nussbaum »projektive Abscheu« nennt – also die bloße Abwehr von anderen Menschen unter dem Vorwand, sich schützen zu müssen.[5] Es gibt eine Vielzahl von affektiven Kräften, die die gesellschaftliche Bereitschaft zu Mitgefühl unterwandern und die sich von der Sorge durchaus unterscheiden. Für Nussbaum gehören neben der Angst und der projektiven Abscheu auch noch der Narzissmus dazu.

Wer gegenwärtig von »besorgten Bürgern« spricht, will sie vor allem abgeschirmt wissen von allem, was sich politisch oder moralisch kritisieren ließe. »Besorgte Bürger«, das soll unbedingt etwas anderes sein als Rassisten oder Rechtsextreme. Ein Rassist möchte niemand sein. Nicht einmal der Rassist möchte ein Rassist sein, weil zumindest das Etikett (wenn auch vielleicht nicht mehr das, was es bezeichnet) gesellschaftlich tabuisiert ist. Deswegen taugt die Sorge als überdeckendes Gefühl. Die Sorge ummantelt die ihr mitunter innewohnende Fremdenfeindlichkeit und schützt so vor jedweder Kritik. So wird das Tabu erfüllt und zugleich unterwandert. Die gesellschaftliche Absage an Fremdenfeindlichkeit wird bestätigt und zugleich in Frage gestellt. Weil als Sorge ausgegeben wird, was gleichwohl Abscheu, Ressentiments und Missachtung birgt, verrückt es die Schwellen des Akzeptablen.

Die »besorgten Bürger« mögen Einwanderer hassen, sie mögen Muslime dämonisieren, sie mögen Menschen, die anders aussehen, anders lieben, anders glauben oder anders denken als sie, zutiefst ablehnen und für minderwertig halten, aber all diese Überzeugungen und Affekte maskiert die vermeintlich unberührbare Sorge. Der »besorgte Bürger«, so wird suggeriert, ist unantastbar. Was sollte denn auch an der Sorge moralisch verwerflich sein? Als müsste in einer Gesellschaft alles erlaubt sein, als dürfte es keine Normen des Akzeptablen oder Inakzeptablen geben, weil jede Norm die freie Egozentrik des Einzelnen einschränken könnte.

Von »besorgten Bürgern« sprechen nicht mehr allein die, die sich hinter dem Begriff verstecken: die Anhängerinnen und Anhänger von PEGIDA und der AfD, sondern mittlerweile assistieren auch manche Journalistinnen und Journalisten bei der kuriosen Verklärung von Affekten. Stattdessen sollten sie die Ursachen wie die Objekte der Sorgen ruhig und differenziert analysieren. Die Sorgen begründen, wo sie sich begründen lassen, und sie kritisieren, wo sie jeder faktischen, realen Grundlage entbehren. Die journalistische Pflicht besteht nicht darin, Leserinnen und Lesern in allem zuzustimmen, kleinere oder größere soziale Bewegungen per se affirmativ zu begleiten, sondern ihre Beweggründe, ihre Argumente, ihre Strategien und Methoden zu analysieren und, bei Bedarf, kritisch zu beleuchten.

Es ist durchaus notwendig, sich zu fragen, ob dieser von der »Sorge« ummantelte Hass womöglich ein Platzhalter (oder Ventil) ist für kollektive Erfahrungen der Entrechtung, der Marginalisierung oder der fehlenden politischen Repräsentation. Insofern ist auch nüchterne Ursachenforschung geboten, woher diese Energie stammt, die sich zur Zeit an so vielen Schauplätzen in Hass und Gewalt entlädt. Dazu dürfen sich die jeweiligen Gesellschaften auch selbstkritisch befragen, warum es nicht gelingt, jene Verletzungen, auf die der Hass und der identitäre Fanatismus nur die falsche Antwort sind, früher zu erkennen. Welche ideologischen Sichtblenden verhindern, den Unmut über soziale Ungleichheiten wahrzunehmen?

Am vielversprechendsten erscheinen mir dazu Didier
Eribons – an Jean-Paul Sartre anschließende – Überlegun-
gen, wonach besonders solche Gruppen und Milieus zu Fanatismus und Rassismus neigen, die sich eher durch negative
Erfahrungen formieren. Bei Sartre bildeten sich bestimmte
Gruppen, die er »Serien« nennt, durch passive, unreflektierte
Anpassungsprozesse an eine einschränkende, widerständige
Umwelt. Es ist also das Gefühl der Ohnmacht gegenüber der
sozialen Wirklichkeit, das solche Serien bindet – und nicht
etwa das Gefühl selbstbewusster, aktiver Identifikation mit
einer Aufgabe oder einer Idee.[6] Eribon betrachtet spezifisch
die Neigung der französischen Arbeitsklasse, sich dem *Front
National* anzunähern. Aber die strukturelle Analyse der Entstehung von Gruppen und Bewegungen, die sich weniger um
eine selbstbewusste, politische Absicht formieren, sondern
stärker durch materiell-negative Erfahrungen (oder Objekte)
geprägt werden – die dürfte auch für andere Kontexte und
Milieus interessant sein. Der Rassismus oder Fanatismus
schiebt sich gleichsam als Vergemeinschaftungsgrund vor das,
was die Individuen eigentlich einen könnte: »Die fehlende
Mobilisierung als Gruppe bzw. die fehlende Selbstwahrneh-
mung als solidarisch-mobilisierbare Gruppe führt dazu, dass
rassistische Kategorien die sozialen ersetzen.«[7]

In einer solchen Lesart wäre es nötig, die rassistischen und
nationalistischen Muster zu unterwandern (und so diejenigen
zu schützen, die ihnen unterworfen werden) und sodann jene

sozialen Fragen freizulegen, die zu stellen versäumt oder überblendet wurde. Vielleicht besteht darin die besondere Tragik der fanatischen und illiberalen Dogmatiker: dass ausgerechnet jene Themen, die Anlass zu berechtigtem politischen Unmut geben, gar nicht adressiert werden. »Das Gefährliche an der Sorge ist, dass sie sich einer Lösung des Problems in den Weg stellt, indem sie vorgibt, eine zu suchen.«[8]

*

Hass und Missachtung
Teil 1: Gruppenbezogene Menschenfeindlichkeit (Clausnitz)

»Monstrosität und Unsichtbarkeit sind
zwei Unterarten des Anderen.«
Elaine Scarry, Das schwierige Bild des Anderen

Was sehen sie nur? Was sehen sie anders als ich? Das Video ist kurz. Zu kurz vielleicht. Es lässt sich wieder und wieder anschauen und ist doch nicht zu verstehen. Dunkelheit umrahmt die Szene wie ein Mantel, in der Mitte als zentrale Lichtquelle der grün-gelbe Schriftzug »Reisegenuss«, links davon etwas eckiges Gelbes, vermutlich der Seitenspiegel des Busses, im Bildvordergrund sind nur Hinterköpfe von Menschen zu sehen, die draußen stehen, ihre Hände gegen die Insassen des Busses strecken, den Daumen nach oben, Zeigefinger nach vorne, und laut skandieren: »Wir sind das Volk«. Sie werden das ganze Video hindurch nicht von vorn zu sehen sein. Es gibt sie nur als Bewegung ihrer Hände, als eine kollektive Parole, als ob diese sich selbst oder den Hass auf andere erklärte. »Wir sind das Volk«, das historische Zitat, will in diesem Moment, hier in Sachsen, sagen: »Ihr seid es

45

nicht«, »Wir sind es, die bestimmen, wer dazugehören darf und wer nicht«.[9]

Was oder wen sehen sie nur vor sich?

Die Kamera zoomt ein wenig an die Windschutzscheibe des Busses heran, es lassen sich im Inneren sieben Figuren ausmachen, die im vorderen Bereich des Busses stehen und sitzen: rechts ein regungsloser Busfahrer mit tief ins Gesicht gezogener Baseball-Mütze, links in der vordersten Reihe zwei jüngere Frauen, im Gang zwei Männer, die der johlenden Menge draußen den Rücken zuwenden und anscheinend auf die erstarrten Geflüchteten im Bus einwirken, einen der Männer hält ein Kind umschlungen. Man sieht nur zwei schmale Hände, die den Rücken umklammern.

Wie lange sie dort schon sitzen? Wie lange der Wagen schon blockiert wurde? Ob es Gespräche gab mit denen, die dort schreien und die Weiterfahrt verhindern? All das geht aus dem Bildmaterial nicht hervor. Eine ältere Frau mit einem beigen Kopftuch, die im Gang steht, schaut die brüllende Meute vor dem Bus an, offensichtlich aufgebracht, sie gestikuliert in Richtung derer, die sie da anschreien, und spuckt aus – oder zumindest deutet sie die Geste des Spuckens an. So wie die da draußen mit ihrem »Wir sind das Volk« signalisieren: »Ihr seid fremd«, »Ihr gehört nicht dazu«, »Ihr sollt wieder verschwinden«, so signalisiert das Spucken eine Art »Nein«, »Nein, wir verdienen diese Demütigung nicht«. »Nein, so ein Benehmen gehört sich nicht.« »Nein, was für ein Volk will das schon sein, das sich so aufführt.«[10]

Dann wird das Kind aus der schützenden Umarmung entlassen, man sieht erstmals einen Jungen in einer blauen Kapuzenjacke mit verzerrtem Gesicht, anscheinend weinend, er schaut zu denen, deren Parole er nicht versteht, deren Gesten aber unmissverständlich sind. Dort hinaus soll er nun. Der Junge wird durch den Vorderausgang ins Dunkle geleitet, wo jetzt »Weg … Weg« gebrüllt wird. Drinnen wird der Blick freigegeben auf die beiden Frauen in der ersten Reihe, die sich aneinander festhalten, die eine verbirgt ihren Kopf an der Schulter der anderen, die sich Tränen aus den Augen wischt.

Was sehen sie? Die, die da draußen stehen und brüllen? Das Video von Clausnitz ist viel debattiert und kommentiert worden. Fast alle waren entsetzt und empört. Es wurde von »Schande« gesprochen, von »Mob«, und die meisten versuchten sich, sprechend oder schreibend, von der Szene zu distanzieren. Mich hat sie zunächst einmal erstaunt. Vor dem Entsetzen lag Unverständnis. Wie *geht* das? Wie ist es möglich, das weinende Kind, die beiden verschreckten jungen Frauen in der ersten Reihe des Busses zu sehen – und »weg« zu brüllen? Sie schauen auf verängstigte Menschen und bemerken weder Angst noch Menschen. Welche Techniken des Aus- oder Überblendens braucht es dafür? Welche ideologischen, emotionalen, psychischen Voraussetzungen formen diesen Blick, der Menschen als Menschen nicht sieht?

In Clausnitz werden Menschen nicht bloß unsichtbar gemacht, die Geflüchteten im Bus werden nicht übersehen wie der Junge in der U-Bahn in dem Text von Claudia Rankine, sie werden nicht ignoriert, sondern sie werden als etwas Hassenswertes wahrgenommen. »Der Hass setzt ein Vollnehmen des Gegenstandes voraus«, schrieb Aurel Kolnai in seiner Analyse feindlicher Gefühle, »dieser muss irgendwie objektiv wichtig, bedeutsam, gefährlich, mächtig sein.«[11] Insofern reicht die Parole »Wir sind das Volk« eigentlich nicht. Es geht nicht nur darum, dass die einen vermeintlich hierher gehören und die anderen nicht. Das wäre zu belanglos. Dann könnten die neu Hinzukommenden auch einfach als irrelevant abgetan werden. Dann hätte »das Volk« auch zu Hause bleiben können an diesem Abend. Es hätte sich Wichtigerem zuwenden können. Hier geschieht etwas anderes.

Die Geflüchteten im Bus werden einerseits als individuelle Personen *unsichtbar* gemacht. Sie werden nicht gesehen als Teil eines universalen Wir. Sie werden negiert als menschliche Wesen mit einer besonderen Geschichte, besonderen Erfahrungen oder Eigenschaften. Und zugleich werden sie *sichtbar* gemacht oder konstruiert als Andere, als »Nicht-Wir«. Auf sie werden Eigenschaften projiziert, die sie als unheimliches, abstoßendes, gefährliches Kollektiv formen und markieren.

»Monstrosität und Unsichtbarkeit sind zwei Unterarten des Anderen«, schreibt Elaine Scarry, »die eine übermäßig sichtbar und die Aufmerksamkeit abstoßend, die andere unzugänglich für die Aufmerksamkeit und daher von Anfang an abwesend.«[12]

In dieser Szene von Clausnitz wird gehasst, und im Hass muss das Objekt des Hasses als existentiell wichtig und monströs gedacht werden. Das setzt eine eigenwillige Umkehrung der tatsächlichen Macht-Konstellation voraus. Auch wenn die, die da neu ankommen, ganz offensichtlich machtlos sind, auch wenn sie über kein Eigentum verfügen als das, was in einer Plastiktüte oder einem Rucksack die Flucht überstanden hat, auch wenn sie keine Sprache sprechen, in der sie sich hier artikulieren oder verteidigen können, auch wenn sie kein Zuhause mehr haben, muss ihnen eine mächtige Gefahr zugeschrieben werden, gegen die sich die vermeintlich Ohnmächtigen zur Wehr setzen.

In diesem Video sind drei Personengruppen zu sehen, die um den Bus herum stehen: zum einen diejenigen, die skandieren und brüllen, zum anderen diejenigen, die ihnen zuschauen, und zum Dritten: die Polizeibeamten.

Erstens: Bis heute ist wenig bekannt über die skandierenden Männer vor dem Bus. Es bleibt eine diffuse Gruppe, die mal als »Mob«, mal als »Pöbel«, mal als »Pack« bezeichnet wird. Mir liegen all diese Begriffe nicht. Mir liegt es nicht, die

Menschen als Menschen zu verurteilen.[13] Es ist nicht bekannt, wie alt sie sind, was für einen Schulabschluss sie haben, wir wissen nichts über ihren sozialen oder religiösen Hintergrund, ob sie arbeiten oder arbeitslos sind, ob sie Geflüchteten in ihrer Region überhaupt schon einmal begegnet sind. Mich interessieren hier weniger die Biographien der Hassenden. Mich interessiert weniger, ob sie sich individuell als »rechts« verstehen würden, ob sie mit einer politischen Organisation oder Partei verbunden sind, ob sie der AfD nahestehen oder der Linken, ob sie die Musik von »Sachsenblut« hören, von »Killuminati« oder die von »Helene Fischer«. Die Polizei Sachsen wird anschließend erklären, es habe sich um eine Gruppe von ca. hundert Personen gehandelt, größtenteils aus der Gegend selbst, die vor der Asylunterkunft in Clausnitz protestiert hätten.

Mich interessiert das, was diese Menschen sagen und was sie tun, mich interessieren ihre *Handlungen* – insofern werden sie im Folgenden als diejenigen, die hassen, die brüllen, die protestieren, die diffamieren, benannt werden. Handlungen – anstatt Personen – zu betrachten und zu kritisieren eröffnet die Möglichkeit, dass sich die Personen von ihren Handlungen auch distanzieren, dass sie sich ändern können. Diese Betrachtungsweise beurteilt nicht eine Person oder eine ganze Gruppe, sondern das, was sie in einer *konkreten* Situation sagen und tun (und damit anrichten). Eine solche Betrachtung lässt zu, dass diese Personen in einer anderen Situation auch anders handeln könnten. Mich interessiert also: Was befähigt sie zu dieser Handlung? Woher stammt diese Sprache? Welche Vorgeschichte hat diese Aktion? Welche Deutungsmuster setzt dieser Blick auf Geflüchtete voraus?

Auf der Facebook-Seite, auf der das Video von Clausnitz wohl zuerst gepostet wurde, »Döbeln wehrt sich – meine Stimme gegen Überfremdung«[14], erscheint der kurze Film wie der vorläufige Höhepunkt einer ganzen Sequenz aus elf Bildern und zahlreichen Kommentaren, die sich auf den Transport von Geflüchteten beziehen.[15] Wann die Fotos von wem aufgenommen wurden, lässt sich daraus nicht entnehmen. Sie zeigen anscheinend verschiedene Busse, deren Fahrten von oder zu Flüchtlingsunterkünften dokumentiert werden. Die Bildfolge beginnt mit einem Foto, das eine dunkle Szene zeigt: In der Bildmitte eine leere Straße, die offenbar in einem Industriegebiet liegt, am linken Rand zwei Gebäude im Anschnitt und die Hälfte eines weißen Busses, der gerade nach links um eines der Gebäude biegt. Die Bildüberschrift lautet »Still und heimlich in Döbeln«, und dazu wird angemerkt: »Kurz nach 6h bei Autoliv. Die neuen Fachkräfte für Raub und Diebstahl werden gebracht.«

Bei »Autoliv« handelt es sich um die Immobilie eines schwedischen Herstellers von Sicherheitstechnik, der die Produktion in Döbeln zwei Jahre zuvor einstellen musste. Seit 1991 hatte Autoliv in Döbeln Sicherheitsgurte, Höhenversteller und

51

Gurtschlösser gefertigt. Von ursprünglich 500 Angestellten hatte das Unternehmen nach und nach die Belegschaft auf 246 Beschäftigte reduziert, bevor im Jahr 2014 der Standort in Döbeln ganz geschlossen und die Produktion nach Osteuropa verlegt wurde.[16] Nach Verhandlungen mit dem Eigentümer der Liegenschaft wurde das leerstehende Werk Ende 2015 zu einer Erstaufnahmeeinrichtung für Geflüchtete mit bis zu 400 Plätzen umfunktioniert. Was für eine eigenwillige Verschiebung: Weil die Wut auf das Unternehmen, das sein Werk in Döbeln geschlossen hat, keinen Adressaten mehr finden kann, richtet sie sich auf diejenigen, die die Leerstelle des ursprünglichen Adressaten füllen? Nicht diejenigen, die das Werk geräumt haben, werden zum Ziel des Zorns, sondern diejenigen, die das ungenutzte Werksgebäude brauchen? Nicht die Manager von Autoliv werden als »Fachkräfte für Raub und Diebstahl« verleumdet, sondern die Geflüchteten, die in die überflüssig gewordene Immobilie einziehen müssen?

Auf einem anderen Foto ist nur das Heck eines Busses mit dem Schriftzug »ReiseGenuss pur« zu sehen. Das ist der Name eines regionalen Reiseveranstalters, der auf seiner Homepage ausführt, was unter einem solchen »Reisegenuss« zu verstehen sein soll: »Verbringen Sie ihren Urlaub in fröhlicher Gesellschaft, treffen Sie alte Bekannte oder lernen Sie nette Leute kennen.« Welche netten Leute die geflüchteten Reisenden mit »ReiseGenuss« am 18. Februar 2016 kennenlernen sollten, lässt sich auf den anderen Aufnahmen der Bildstrecke erkennen: auf einem weiteren Foto steht ein Auto schräg vor einem Bus und blockiert offensichtlich dessen Weiterfahrt.[17] Auf einem anderen Bild ist ein Traktor zu sehen, der ein vor die Schaufel gespanntes Banner präsentiert: »Unser Land – unsere Regeln – Heimat – Freiheit – Tradition«, was einigermaßen lustig ist, denn weder der Begriff »Heimat« noch der der »Freiheit« noch der der »Tradition« benennt eine einzige Regel, die sich daraus ableiten ließe. Dass sich zumindest »Freiheit« und »Tradition« auch in Widerspruch zueinander befinden können, wird nicht aufgelöst.

Die Bildsequenz rahmt das zentrale Video ein in die Erzählung einer Art Jagd, als ob ein Bus mit den Geflüchteten, wie ein Tier, verfolgt und schließlich gestellt worden wäre. Es ist ganz offensichtlich eine Erzählung, die den Betreibern und Beiträgern der Seite nicht unangenehm ist (sonst würde sie nicht auf diese Weise dokumentiert und veröffentlicht), es ist die Erzählung einer Art Jagd, zu der sich die, die daran teilnehmen, berechtigt fühlen. Sie hegen keinerlei Zweifel an der Aktion, bei der über zwei Stunden ein Bus blockiert und Kinder und Frauen eingeschüchtert und bedroht werden. Vielmehr bildet die Jagdgesellschaft den Schluss dieser Erzählung und präsentiert sich vor ihrer hilflosen Beute als so wütend wie stolz.

Was das Genre der Verfolgungsjagd und der Blockade so interessant macht, ist die gewünschte Nähe zu dem, was angeblich gefährlich ist. Es sind verschiedene Busse: der auf dem ersten Bild aus Döbeln und der, der in Clausnitz blockiert wird – aber die Szenen eint, dass der Transport von Geflüchteten mittels Fotos skandalisiert wird (»Still und heimlich … in Döbeln«). Ab wann die Blockierer von Clausnitz warteten und wer sie informiert hat, lässt sich nicht sicher sagen. Gewiss ist: Alle, die den Bus blockierten, *suchten* offensichtlich die Konfrontation. Die Geflüchteten wurden von denen, die sie angeblich fürchten, also nicht *gemieden*, die Geflüchteten lösten nicht Abscheu aus oder Ekel, sondern im Gegenteil: Sie wurden gesucht und gestellt. Wären Angst oder Sorge die entscheidenden Motive für die Protestierenden (wie gern behauptet wird), sie suchten nicht deren *Nähe*. Wer angsterfüllt ist, möchte zwischen sich und die Gefahr eine möglichst große Entfernung bringen. Der Hass dagegen kann sein Objekt nicht einfach umgehen oder auf Distanz halten, er braucht seinen Gegenstand in greifbarer Nähe, um ihn »vernichten« zu können.[18]

Zweitens: Die zweite Personengruppe am Bus in Clausnitz bilden die Zuschauer. Sie sind nicht von einem solchen Hass erfüllt. Vermutlich gab es auch Menschen, die allein die Lust am Skandal anlockte oder die bloße Unterhaltung, die jede Provokation bedeutet und die einen aus der Langeweile des Alltags herauskatapultiert. Vermutlich gab es auch Mitläufer, die nicht gebrüllt, sondern nur gestaunt haben, wie andere brüllen können. Die mehr pornographische Freude an der Entgrenzung der anderen empfunden haben, als dass sie selbst so entgrenzt hätten auftreten können. Auf den Aufnahmen sind diese beteiligten Unbeteiligten auch zu sehen. Sie stehen herum und bilden das Forum, das den Brüllenden die Aufmerksamkeit schenkt, die sie brauchen, um sich als »Volk« behaupten zu können.

Im Spektakelhaften liegt die doppelte Wirkungsmacht solcher Auftritte. Das Spektakel wendet sich an das Publikum, das sich vergrößert, je außerordentlicher die Provokation daherkommt. Und das Spektakel wendet sich an die Opfer, die sich nicht dagegen wehren können, Teil einer theatralen Aufführung zu werden, die sie demütigt. Das Spektakelhafte jagt den Opfern nicht nur Angst ein, sondern es führt sie einem Publikum vor, das sie zum Objekt mit Unterhaltungswert degradiert. Das Spektakel einer Meute hat Tradition: die demonstrative, öffentliche Demütigung von Marginalisierten, das Vorführen der eigenen Macht in einer Arena, in der wehrlose Menschen gehetzt oder gelyncht werden, in der ihre Häuser und ihre Geschäfte beschädigt oder zerstört werden, das gehört zu alten, überlieferten Techniken. Das Spektakel von Clausnitz schreibt sich ein in die Geschichte all jener Spektakel, die Menschen einer bestimmten Religion, einer bestimmten Hautfarbe, einer bestimmten Sexualität terrorisieren, indem sie ihnen vorführen, dass sie sich nicht sicher fühlen können. Dass ihre Körper verletzbar sind. Jederzeit.

Beim wiederholten Betrachten des Videos wundert mich dies noch mehr als das Gebrüll der Menge direkt vor dem Bus: Was tut dieses Publikum nur? Warum schreitet niemand der Umstehenden ein? Warum wendet sich nicht jemand an die Männer, die Parolen skandieren, und versucht, sie zu beruhigen? Warum delegieren die Umstehenden ihre Handlungsmöglichkeiten an die Polizei? Es sind Nachbarn, Bekannte, Menschen aus Clausnitz, sie kennen sich aus der Schule, von der Arbeit, von der Straße. Vielleicht sind auch Zugereiste dabei. Aber viele kennen sich doch. Warum geht niemand hin und sagt: »Komm, ich glaub, das reicht jetzt«? In jeder Fußballmannschaft gelingt das. Warum versucht niemand zu sagen: »Lasst uns gehen«? Vielleicht traut sich das niemand. Vielleicht ist die Stimmung zu aufgeheizt. Vielleicht ist die Menge zu wütend, vielleicht ist es zu gefährlich, sie zu kritisieren oder überhaupt anzusprechen.

Aber warum bleiben die Zuschauerinnen und Zuschauer dann stehen? Warum gehen sie nicht nach Hause? Alle, die im Publikum verharren, vergrößern die Menge derer, denen sich die im Bus gegenübersehen. Alle, die stehenbleiben und gaffen, dienen den Hassenden als Resonanzverstärker. Vielleicht haben sie das nicht bedacht. Vielleicht wollten sie nur schauen, als sei das nicht auch eine Handlung, die auf andere wirkt. Vielleicht ist ihnen erst anschließend, als alles vorbei war, unbehaglich zumute geworden. Dann sollte ihnen nachträglich dies zu denken geben: Jede und jeder Einzelne derer, die zuschauen, könnte weggehen und damit ein Signal geben: »Nicht in meinem Namen«. Jede und jeder Einzelne von ihnen könnte zeigen: Das ist nicht mein Volk oder das ist nicht meine Sprache, nicht meine Geste, nicht meine Haltung. Dazu braucht es nicht viel Mut. Dazu braucht es nur ein bisschen Anstand.

Drittens: »Die Wut entlädt sich auf den, der auffällt ohne Schutz«, schreiben Max Horkheimer und Theodor W. Adorno in der *Dialektik der Aufklärung*.[19] Die Polizisten sind der dritte Akteur auf dem Video. Dass sie überhaupt da sind, ist zunächst einmal beruhigend. Niemand weiß, was ohne die Polizei geschehen wäre. Ob sich der Hass womöglich noch zu Gewalt gegen die Geflüchteten gesteigert hätte. Insofern ist es gut und wichtig, dass eine Ordnungsmacht anwesend ist, die gewalttätige Übergriffe verhindern kann. Allerdings haben die eingesetzten Beamten augenscheinlich Schwierigkeiten, die Situation in Clausnitz zu befrieden. Warum? Darüber lässt sich nur mutmaßen. Es gibt keine Aufnahmen aus dem Bus, so dass nicht zu hören ist, wie die Beamten sich vielleicht um die Geflüchteten bemüht haben. Aber auch nachträglich ist nicht viel zu hören über solche Versuche. Die Bilder zeigen lediglich, wie lange die Polizisten dem Treiben der brüllenden Menge zuschauten oder zumindest es nicht effektiv zu unterbinden vermochten. Es gibt keine Ansagen per Megaphon, wie sie sonst bei Blockaden auf Demonstrationen üblich sind. Keine Ankündigung, bei Zuwiderhandlung würden die Personalien aufgenommen und der Platz geräumt werden. Nichts davon ist hier zu sehen. Sie scheinen sich vornehmlich den Businsassen zugewandt zu haben, als gelte es, die Geflüchteten zur Ordnung zu rufen – und nicht die Provokateure und ihr Publikum vor dem Bus. Auf einigen Bildern ist gut zu sehen, wie die Schaulustigen den Bus einrahmen, ohne von einem der Beamten auf Abstand gehalten zu werden. Ein solcher polizeilicher Einsatz, der seltsamerweise irgendwo zwischen lustlos und hilflos angesiedelt ist, signalisiert in seiner demonstrativen Ambivalenz den Blockierern, dass sie *weitermachen* können.

Gewiss, das muss zugunsten der Polizei erwähnt werden, es gibt in der Situation auch ein objektives Problem: Solange die Menge vor dem Bus noch brüllt, so lange möchten die Geflüchteten den Bus vor lauter Angst nicht verlassen. Aber anstatt erst die Blockierer zurückzudrängen und dann die Geflüchteten mit ruhigem Zuspruch zum gemeinsamen Aussteigen zu bewegen, reagieren die Beamten erst entschieden und rabiat, als die Geflüchteten im Bus sich gegen die Situation zu wehren beginnen. Zur Ordnung werden also nicht diejenigen gerufen, die die Ankunft des Busses vor der Flüchtlingsunterkunft verhindern, sondern diejenigen, die eingeschüchtert und angebrüllt werden. Als einer der Jungen im Bus dem

»Volk« vor dem Bus den Mittelfinger zeigt, wird er mit ganzem Körpereinsatz eines Polizeibeamten aus dem Bus gezerrt, als sei er ein Verbrecher und kein Kind, das bereits über zwei Stunden von einer Menge von rund hundert Personen beschimpft und bedroht wurde. Vielleicht gab es andere Beamte, die diese Situation gern anders gelöst hätten: schneller und den verängstigten Geflüchteten gegenüber zugewandter. Aber sie haben sich anscheinend nicht durchsetzen können.

*

Nichts an dieser Bildstrecke von der Blockade des Busses und dem Gebrüll behauptet ein konkretes Fehlverhalten der Geflüchteten. Nichts an dieser Bildstrecke oder auch den Berichten danach verweist auf irgendeine Vorgeschichte, warum die Businsassen unerwünscht sein sollten, nichts an dieser Bildstrecke bezieht sich überhaupt auf die Individuen in diesem Bus. Der Hass in dieser Situation erzeugt seine eigene Kraft gerade dadurch, dass er die konkrete Wirklichkeit ignoriert oder übersteigt. Es braucht keine reale Vorlage, keinen realen Anlass. Es reicht die Projektion. Der Hass bezieht sich zwar auf diese Geflüchteten, hat sie zum Objekt, aber sie selbst verursachen ihn nicht. So wie Titania nicht Zettel liebt, weil er so ist wie er ist, sondern weil die Wirkung des Zaubertranks sie verführt, so hassen die Blockierer von Clausnitz nicht die Geflüchteten, weil sie so sind wie sie sind. So wie Achtung und Anerkennung das Erkennen des Anderen voraussetzen, so setzen Missachtung und Hass oft das Verkennen des Anderen voraus. Auch beim Hass fallen Ursache und Objekt der Emotion nicht unbedingt zusammen. So wie Titania Gründe anführen könnte, warum sie Zettel liebt, so könnten auch die Hassenden von Clausnitz Gründe anführen, warum sie Geflüchtete hassen – und doch sind diese Gründe nicht der Grund für den Hass. Sie schreiben nur diesen wie allen anderen Geflüchteten gewisse Eigenschaften zu, die sie als »hassenswert«, »gefährlich«, »verabscheuungswürdig« bewerten.

Wie aber ist dieser Hass entstanden? Woher stammen dieser Blick, diese Raster der Wahrnehmung, in der Geflüchtete als »hassenswert« wahrgenommen werden?

Der Hass kommt nicht aus dem Nichts. Nicht in Clausnitz, Freital oder Waldaschaff. Nicht in Toulouse, Paris oder Orlando. Nicht in Ferguson, Staten Island oder Waller County. *Der Hass hat immer einen spezifischen Kontext, in dem er sich erklärt und aus dem er entsteht.* Die Gründe, auf die sich der Hass beruft und die erläutern sollen, warum eine Gruppe den Hass angeblich »verdient«, muss jemand in einem spezifischen historischen und kulturellen Rahmen *produzieren*. Die Gründe müssen aufgeführt, erzählt, bebildert werden, wieder und wieder, bis sie sich in Dispositionen ablagern. Um in dem Bild von Shakespeare zu bleiben: Den Trank, der den Affekt erzeugt, muss jemand brauen. Der akute, heiße Hass ist die Folge kühler, länger vorbereiteter oder über Generationen weitergereichter Praktiken und Überzeugungen. »Kollektive Hass- als auch Verachtungsdispositionen (…) kommen ohne die entsprechenden Ideologien, wonach von dem gesellschaftlich Verachteten oder Gehassten ein gesellschaftlicher Schaden, eine Gefahr oder Bedrohung ausgehen, nicht aus.«[20]

Die Ideologie, die zum Hass in Clausnitz führt, wird nicht allein in Clausnitz gefertigt. Sie wird auch nicht allein in Sachsen gefertigt. Sondern in all jenen Kontexten im Internet, in Diskussionsforen, in Publikationen, in Talkshows, in Musiktexten, in denen Geflüchtete prinzipiell nie als gleichwertige Menschen mit eigener Würde sichtbar werden. Um Hass und Gewalt zu analysieren, muss man diese Diskurse betrachten, in denen die Muster und Vorlagen gestanzt werden, die sie vorbereiten und rechtfertigen.[21] Dazu lohnt sich schon jene Facebook-Seite »Döbeln wehrt sich«, auf der das Video von Clausnitz erstmals auftauchte. Es ist kein Forum mit besonders großer Verbreitung. Aber all die Raster des Ressentiments und der Diffamierung, die dazu führen, dass die Menschen im Bus *als Menschen* unsichtbar und *als etwas Monströses* sichtbar werden, lassen sich bereits hier finden. Es ist nur ein Beispiel für die Ideologie, die sich in zahllosen anderen Seiten von rechtsradikalen Organisationen, PEGIDA-nahen Gruppen oder Personen ebenso findet und auch an anderen Beispielen analysiert werden könnte.

Das Erste, was auffällt, ist die bewusste *Engführung* der Wirklichkeit. Hier gibt es keine Bezüge, keine Informationen, keine Erzählungen von Migranten und Migrantinnen, die sich durch ihren Humor, ihre Musikalität, ihre technischen Fertigkeiten, ihre intellektuellen oder künstlerischen oder emotionalen Qualitäten auszeichnen. Es gibt übrigens auch keine Meldungen über Missgeschicke, Schwächen oder Spießigkeiten von einzelnen Migranten oder Migrantinnen. In Wahrheit gibt es überhaupt keine Individuen. Es gibt nur Stellvertreter. Jeder einzelne Muslim, jede einzelne Muslima (wobei es vornehmlich um männliche Muslime geht) steht hier stellvertretend für alle. Welcher Muslim oder Migrant zu diesem Zweck instrumentalisiert wird, ist willkürlich. Solange sie sich nur als Fallbeispiele benutzen lassen, mit denen sich vorgeblich die Schlechtigkeit des ganzen Kollektivs beweisen lässt.

Die Welt der Hassenden ist wie »Aktenzeichen XY ungelöst« – nur ohne das »ungelöst«. Immer ist es der Islam, der schuldig ist, immer ist es die Zuwanderung von Muslimen, ist es die kriminelle Energie, die jedem und jeder geflüchteten Person angeblich innewohnen soll. Es ist eine Gesellschaft im permanenten Ausnahmezustand, so wird uns suggeriert, in der es für privates Glück, für all die kuriosen, absurden, berührenden, vielleicht auch nervigen, anstrengenden Erlebnisse des Miteinanders keinen Raum gibt. In dieser Welt gibt es schlicht keine Normalität. Es gibt nur skandalisierte

Ausnahmen, die als Norm behauptet werden. Diese Welt ist bereinigt von jeder realen kulturellen, sozialen oder auch nur politischen Vielfalt. Es gibt keine harmlosen Begegnungen, keine geglückten Erfahrungen, keine heiteren Begebenheiten. Jede Leichtigkeit, jede Lust wäre hier fehl am Platz.

Was geschieht durch eine solche gefilterte Sicht auf die Welt? Wie wirkt es sich aus, immer und immer wieder Menschen nur in einer bestimmten Rolle, in einer bestimmten Position, mit einer bestimmten Eigenschaft zu erleben? Es produziert zunächst noch nicht einmal Hass. Diese Engführung verstümmelt vor allem die Phantasie. Das Fatale an Foren und Publikationen, in denen Geflüchtete immer und ausschließlich als Kollektiv und niemals als Individuum auftauchen, in denen Muslime immer und ausschließlich als Terroristen oder rückständige »Barbaren« beschrieben werden, ist, dass sie es nahezu unmöglich machen, sich Migrantinnen und Migranten als etwas anderes *vorzustellen*. Sie schmälern den Raum der Phantasie und damit der Einfühlung. Sie reduzieren die endlosen Möglichkeiten, muslimisch oder zugewandert zu sein, auf *eine* Form. Und dadurch verkoppeln sie individuelle Personen zu Kollektiven, und Kollektive verbinden sich mit immer denselben Zuschreibungen. Wer sich nur über diese Medien informiert, wer nur diese gefilterte Sicht auf die Welt und die Menschen darin zu sehen bekommt, dem oder der prägen sich stets dieselben fixen Assoziationsketten ein. Es wird mit der Zeit nahezu unmöglich, sich Muslime oder

Migranten anders zu denken. Die Vorstellungskraft ist verstümmelt. Geblieben sind nur jene Abkürzungen des Denkens, das nur noch mit fertigen Zuschreibungen und Urteilen operiert.

Man muss sich dieses Verfahren der Engführung der Wirklichkeit einmal in einer anderen Variante vorstellen: Als eine Facebook-Seite oder eine Zeitung oder ein Fernsehprogramm, wo Christen *dann und nur dann* erwähnt würden, wenn sie straffällig geworden sind und jedes einzelne Verbrechen, das eine christliche Person begeht, *kausal* mit ihrer Religionszugehörigkeit in Verbindung gebracht würde. Es gäbe keinen einzigen Bericht über verliebte Paare, die christlich sind, über christliche Rechtsanwältinnen, die Expertinnen in Steuerrecht sind, über katholische Landwirte oder protestantische Automechaniker, keine Meldungen über sakrale Chormusik oder Theaterfestivals, in denen christliche Schauspielerinnen und Schauspieler zu sehen sind, sondern nur und ausschließlich über den Ku-Klux-Klan, über die Anschläge radikaler Abtreibungsgegner und individuelle Verbrechen von häuslicher Gewalt über Missbrauch von Kindern bis zu Banküberfällen, Entführungen oder Raubmorden – alles immer unter der Überschrift »Christentum«. Wie würde ein solches Raster die Wahrnehmung verändern?

»Die Fähigkeit des Menschen, anderen Verletzungen zuzufügen, ist gerade deshalb so groß«, heißt es bei Elaine Scarry,

»weil unsere Fähigkeit, uns ein angemessenes Bild von ihnen zu machen, sehr klein ist.«[22] Mit einer derart verengten Vorstellungskraft schwindet auch die Möglichkeit zur Einfühlung in ein konkretes Gegenüber. Wer sich nicht mehr *vorstellen* kann, wie einzigartig jede einzelne Muslima, jeder Migrant, wie singulär jede einzelne Transperson oder jeder einzelne schwarze Mensch ist, wer sich nicht vorstellen kann, wie ähnlich sie in ihrer grundsätzlichen Suche nach Glück und Würde sind, erkennt auch nicht ihre Verletzbarkeit als menschliche Wesen, sondern sieht nur das, was schon als Bild vorgefertigt ist. Und dieses Bild, diese Erzählung liefert »Gründe«, warum eine Verletzung von Muslimen (oder Juden oder Feministinnen oder Intellektuellen oder Roma) zu rechtfertigen sei.

Was das Betrachten solcher Foren so trostlos macht: Das gab es alles schon einmal. Das ist nicht neu. Die Muster der Wahrnehmung sind nicht originell, sondern sie haben historische Vorlagen. Es sind die ewig selben Topoi, die ewig selben Bilder, die ewig selben Stereotype, die hier zitiert und wiederholt werden, als hätten sie keine Vorgeschichte. Als erinnerte sich niemand mehr, in welchem Kontext sie entstanden und bereits einmal missbraucht wurden. Als habe es das nicht alles schon gegeben: den Hass auf Fremde, das Aussondern alles Abweichenden, das Gebrüll auf den Straßen, die diffamierenden und terrorisierenden Graffiti, die Erfindung des Eigenen als Nation, als Volk – und die Konstruktion der

Anderen, die angeblich nicht dazu passen, der »Entarteten«, der »Asozialen«.

Auch das Raster, in dem »fremde Männer« die »eigenen Frauen« oder »eigenen Mädchen« angeblich belästigten, all das gab es schon als Motiv in der nationalsozialistischen Propaganda. Wieder und wieder wurde in antisemitischen Texten und Karikaturen vor Juden gewarnt, die angeblich über »deutsche Frauen« herfielen.[23] Unter dem Begriff der »Schwarzen Schmach« wurden Schwarze als sexuelle Gefahr für »weiße Frauen« stigmatisiert mit Bildern, die gegenwärtig immer noch oder schon wieder in fast identischer Ästhetik kursieren. Es sind heute wieder »Fremde«, Schwarze oder Geflüchtete, die als sexuelle Gefahr markiert werden.[24]

Das ist kein Grund, nicht über Straftaten zu berichten, die von Migranten begangen werden. Selbstverständlich muss über jede Form sexueller Gewalt berichtet werden. Es ist schon absurd, das eigens erwähnen zu müssen. Allerdings ist gerade langsame (und genau informierte) Berichterstattung der schnellen (und mitunter schludrigen) vorzuziehen. Und selbstverständlich gehört zu dem Nachdenken über solche Taten auch die Frage nach den sie bedingenden oder erleichternden sozialen, ökonomischen, ideologischen Strukturen. So wie es zu der Aufklärung der Missbrauchs-Skandale in verschiedenen Institutionen der katholischen Kirche dazugehörte, danach zu fragen, welche Faktoren die sexuelle Gewalt gegen Kinder durch katholische Geistliche womöglich erleichtert oder befördert haben. Auch dort war es nötig und möglich, eine differenzierende Analyse des religiösen Dogmas des Zölibats, der Stigmatisierung von Homosexualität, der besonderen Macht- und Vertrauenskonstellation zwischen Priestern und Kindern, dem Kartell des Schweigens – aber auch der individuellen Biographien der Täter zu leisten. Diese Debatte ließ sich führen, ohne dass sie eine Hermeneutik des Verdachts gegen katholische Gläubige als Individuen oder als Gemeinschaft per se produziert hätte. Niemand hat von beliebigen Katholiken verlangt, sie mögen sich öffentlich distanzieren.

Problematisch wird es lediglich dann: Wenn vornehmlich über sexuelle Gewalt berichtet wird, wenn die Tat mit einem bestimmten Täter-Profil verkoppelt werden kann und über andere Fälle mit anderen Tätern kaum berichtet wird. Denn auf diese Weise verbindet sich die Vorstellung von Migranten oder Schwarzen unweigerlich mit der von »sexueller Gewalt«. Man stelle es sich nur einmal umgekehrt vor: Wenn bei jedem Verbrechen, über das berichtet wird, die Information beigefügt würde, es handele sich um einen *weißen* Täter. Jeden Tag. Bei jedem Raubüberfall, jedem Missbrauch von einem Kind, jedem Gewaltverbrechen, der »*weiße* Mann« aus Höxter oder sonst woher. Auf einmal würden die Fälle, in denen über einen Straftäter schwarzer Hautfarbe berichtet wird, schlicht seltener. Es geht selbstverständlich nicht darum zu suggerieren, die eine oder die andere Tat sei weniger berichtenswert oder verwerflich, sondern schlicht um eine nüchterne Betrachtung, die Delikte nach Täterprofilen in ein quantifizierbares und angemessenes Verhältnis setzen kann.

Noch einmal: Natürlich gibt es auch Migranten, die solche Taten begehen. Nicht nur einzeln, sondern auch als Gruppe – die schrecklichen Übergriffe aus der Silvesternacht in Köln belegen das. Und natürlich ist es nötig und richtig, darüber genauso schonungslos zu berichten. Und dazu gehört auch, in aller Tiefenschärfe und in aller Differenzierung die Täterprofile aus Köln und den Ablauf des Tages zu analysieren und alle relevanten Faktoren, die solche Taten befördern können, zu benennen. Übermäßiger Alkohol-Konsum mag dabei genauso eine Rolle spielen wie Machismo und patriarchale Denkmuster. Und natürlich muss sich betrachten lassen, in welchen Kontexten und Diskursen die Missachtung von Frauen und ihrer Selbstbestimmung genährt und gezüchtet wird. Genau diese Diskurse und diese ideologisch vorgefertigten, frauenfeindlichen Raster gehören kritisiert. Aber in solchen realen Fällen kreuzen sich leider rassistische und sexistische Phantasmen – und eben diese Überlagerung des Realen durch das Phantasmagorische gilt es, in den eigenen Texten und Bildern mit zu reflektieren und zu bedenken. Das ist weniger schwer als es klingt.

Der Diskurs im direkten Umfeld des Videos von Clausnitz kommt ohne den Begriff »Rasse« aus. Stattdessen wird von »Kultur« gesprochen, von »Migrationshintergrund«, von »Religion«. Es sind Deck-Begriffe, mit denen das gesellschaftliche Tabu des Rassismus oder Antisemitismus umhüllt wird. Ohne an der impliziten Ideologie etwas zu ändern. Noch immer gibt es gruppenbezogene Menschenfeindlichkeit, noch immer werden Kollektiven ahistorische, unveränderliche Eigenschaften zugeschrieben. Nur der Begriff der »Rasse« fehlt. Es wird dieselbe Struktur der Ausgrenzung mit denselben Bildern und Motiven bedient – nur mit anderen Worten. Es fehlen die »Alarm-Begriffe«, die leichter erkennbar machten, was politisch beabsichtigt ist. Deswegen ist es nun das »Abendland«, das beschützt werden soll, das »Volk«, die »Nation« – ohne dass allzu genau beschrieben würde, was das eine oder das andere sein sollte.[25]

Der Welt, wie sie hier entworfen wird, fehlt alles Spielerische, übrigens auch alles Zufällige. Jedem noch so kontingenten Ereignis wird eine Bedeutung und eine dahinter vermutete Absicht zugeschrieben. Schlichte menschliche Fehler oder Unfälle gibt es nicht. Jedem Irrtum wird eine Intention unterstellt, jedem Zufall eine Verschwörung, die immer auf die Unterdrückung oder Schädigung der eigenen Gruppe zielt. Das zentrale Thema auf Facebook-Seiten wie »Döbeln wehrt sich« oder in zahllosen anderen Publikationen dieser Sorte ist der angebliche »Austausch« der Bevölkerung, die von oben gesteuerte Vertreibung des »eigenen Volks« durch alles, was als fremd bezeichnet wird: Geflüchtete, Einwanderer, nicht-christliche, nicht-weiße Menschen. Der Bürgerkrieg ist das zugleich gefürchtete wie herbeigesehnte Szenario, das sich als Motiv wie ein *basso continuo* durch diese Gedankenwelt zieht.

Es ist eine apokalyptische Erzählung, die in diesem Kontext stetig wiederholt wird: die (alte) Geschichte des eigenen Niedergangs, der eigenen Unterdrückung, die erst dramatisch aufgebaut wird, um dann den eigenen Auftrag als besonders existentiell, besonders schicksalhaft zu stilisieren. Die Welt teilt sich auf in die Bürger einer schrumpfenden oder aussterbenden deutschen Nation auf der einen Seite und diejenigen, die deren Untergang angeblich aktiv betreiben, auf der anderen. Zu den Gegnern gehören dann auch alle zivilgesellschaftlichen Akteure, die sich selbstverständlich hilfsbereit und mit den Geflüchteten solidarisch zeigen: Sie werden als »Gutmenschen« oder als »Bahnhofsklatscher« tituliert (als müsste einem das eine oder das andere peinlich sein).[26]

Kritik von außen an den eigenen Praktiken und Überzeugungen wird nicht einmal erörtert. Die Frontstellung einer polarisierten Welt aus »Eigenem« und »Fremden«, aus »Wir« gegen »Sie« lässt Kritik von vornherein abprallen: Sie wird diskreditiert als Zensur, als Repression, als Manipulation derer, die den einzig wahren und gerechten Kampf um das eigene

Land, das eigene Volk, die eigene Nation führen. So hat sich ein geschlossenes Denken etabliert, das sich als immun gegen Einwände oder Zweifel versteht. Es werden nicht diejenigen in Frage gestellt, die Frauen und Kinder einschüchtern oder Asylbewerberheime anzünden, sondern diejenigen, die das kritisieren. Die kritische Berichterstattung taugt lediglich als Beleg für eine böswillige »Lügenpresse«, die den heldenhaft-patriotischen Aufstand nicht würdigen kann. Im Zustand der Paranoia bestätigt alles nur die eigene Projektion – und es lässt sich die eigene Aggression zur Notwehr verklären.[27]

Es ist nicht leicht, sich länger mit derartigen Seiten zu beschäftigen. Als Homosexuelle und als Publizistin gehöre ich gleich zu zweien der in diesem Kontext besonders verhassten gesellschaftlichen Gruppierungen. Ich verstehe mich zwar gar nicht als Gruppe, aber das ist für die Hassenden irrelevant. Als Individuen werden Menschen wie ich, mit all ihren verschiedenen Bezügen und Neigungen, in diesem Raster ohnehin nicht sichtbar. Auch wenn ich noch nie an einem Bahnhof gestanden und geklatscht habe, gehöre ich zu denen, die verachtet werden. Für die Art, wie ich liebe, und für die Art, wie ich denke und schreibe. Aber immerhin für etwas, das ich *tue*. Das ist fast schon ein Privileg. Andere werden für ihre Hautfarbe oder ihre Körper gehasst und verachtet. Ich bin weiß, und ich besitze einen deutschen Pass – beides ist kontingent. Und beides setzt mich ab von anderen, die diesem Hass und dieser Missachtung noch schutzloser ausgeliefert sind als ich, weil sie schwarz sind oder muslimisch oder beides oder keine Papiere besitzen.

Aber dieser Hass berührt nicht nur diejenigen, die er sich als Objekt sucht. Mich verstören solche Seiten nicht nur, weil dort anti-intellektuell oder homophob argumentiert wird. Mich verstört, wenn unmenschlich argumentiert wird. Mich verstört, wenn exklusiv gegen ein universales Wir argumentiert wird. Es ist gar nicht entscheidend, *wer* als das unsichtbare oder monströse Andere konstruiert wird. Es könnte sich der Hass auch auf Linkshänder oder Bayreuth-Fans richten. Es verstört mich grundsätzlich der Mechanismus der Ausgrenzung und die ungeheuerliche Aggression, mit der da gegen Menschen gehetzt wird.

*

Nun ist diese Facebook-Seite nur ein enger Kreis, der sich diskursiv um das Video von Clausnitz bildet. Dazu gehören auch all die anderen Kreise und Orte, in denen sich Gruppen sammeln, die gegen Geflüchtete protestieren und jene, die sie willkommen heißen, einschüchtern. Das ließe sich noch als extremer, randständiger Kontext isolieren. Aber um diesen Kreis herum lagern sich die Kreise all jener, die das ideologische Material liefern, die die narrativen Vorlagen fertigen, die dann als Muster und Zitate durch die Diskurse im Netz oder in den Wohnzimmern geistern.[28] Zu den *Zulieferern des*

Hasses gehören diejenigen, die sich niemals so enthemmt entblößen würden wie die brüllenden oder zündelnden Akteure auf der Straße, die aber ihren »Anliegen« eine bürgerliche Fassade geben. Das sind diejenigen, die sich öffentlich von Hass und Gewalt distanzieren und sie doch permanent rhetorisch vorbereiten. Diese Strategie absichtsvoller Ambivalenz praktizieren Politikerinnen und Politiker der AfD, aber auch alle anderen, die Geflüchtete nonchalant mit Terror oder Kriminalität gleichsetzen, die den Islam nicht als Glaubensgemeinschaft akzeptieren, die über Schießbefehle an der Grenze raunen.

Den Hass und die Angst schüren nicht zuletzt die, die sich von ihm Gewinn versprechen. Ob die *Profiteure der Angst* in der Währung der Einschaltquoten denken oder in Wählerstimmen, ob sie mit einschlägigen Titeln Bestseller produzieren oder sich mit griffigen Schlagzeilen Aufmerksamkeit verschaffen – sie alle mögen sich distanzieren von dem sogenannten »Mob« auf der Straße, aber sie wissen ihn ökonomisch für sich zu nutzen.

Zu den Zulieferern des Hasses und den Profiteuren der Angst gehört in besonderer Weise auch das internationale Terror-Netzwerk des sogenannten IS, mit seinen Mordserien von Beirut bis Brüssel, von Tunis bis Paris. Kommunikativ verfolgt der IS dasselbe strategische Ziel wie die Propagandisten der »neuen Rechten«: eine Spaltung der europäischen Gesellschaften nach der Logik der Differenz. Mit jedem Anschlag befördert der IS nicht zufällig, sondern absichtsvoll die Angst vor Muslimen. Mit jedem gefilmten Massaker, jeder popkulturell inszenierten Hinrichtung einer wehrlosen Geisel, jedem Massenmord treibt der IS bewusst und kalkuliert den Keil in hiesige Gesellschaften – in der keineswegs irrationalen Hoffnung, die Angst vor dem Terror könnte zu generellem Misstrauen gegenüber europäischen Muslimen und letztlich zu ihrer Isolation führen.[29]

Die Absonderung der Muslime aus einem pluralen, offenen, säkularen Europa ist das ausdrückliche Ziel des IS-Terrors. Das Instrument, das dahin führen soll, ist die systematische Polarisierung.[30] Jede Mischung, jedes kulturelle Miteinander, jede Religionsfreiheit der aufgeklärten Moderne ist den IS-Ideologen zuwider. So bilden die islamistischen Fundamentalisten und die anti-islamischen Radikalen eine kuriose Spiegel-Figur: Sie bestätigen einander in ihrem Hass und ihrer Ideologie der kulturellen oder religiösen Homogenität. In rechten Foren tauchen deswegen auch immer wieder Berichte über die schrecklichen Attentate des IS in europäischen Städten auf. Die objektive Gewalt, der reale Terror des IS unterfüttert die subjektive Projektion auf all jene Muslime, die vor eben dieser Gewalt und diesem Terror fliehen. Jeder Anschlag lässt die geschürte Furcht vor Muslimen als berechtigt behaupten, jedes Massaker lässt die liberale, offene Gesellschaft als Illusion diffamieren. So erklärt sich auch die Reaktion mancher Poli-

tikerin und manches Publizisten, die in den Terror-Anschlä-
gen von Paris und Brüssel vor allem objektive Bestätigungen
ihres Weltbilds sahen – und denen diese Rechthaberei wichtiger zu sein schien als die Trauer mit den Angehörigen der
Opfer.

Den Hass ermöglichen und erweitern aber auch all jene, die
nicht eingreifen, die zwar nicht selbst so handeln, das Handeln anderer aber verständnisvoll tolerieren. Der Hass könnte
niemals solche Wirkung entfalten, nicht so nachhaltig, nicht
so dauerhaft, nicht überall in der ganzen Republik aufbrechen
und sich entladen, gäbe es nicht die klammheimliche Duldung derer, die vielleicht nicht die Mittel von Gewalt und
Einschüchterung gutheißen, aber doch das Objekt, an dem
sich der Hass entlädt, missachten. Sie hassen nicht selbst. Sie
lassen hassen. Sie sind vielleicht nur gleichgültig, nur bequem.
Sie mögen sich nicht einmischen oder engagieren. Sie wollen
nicht behelligt werden von diesen unappetitlichen Auseinandersetzungen. Sie wollen ihren ruhigen Alltag beibehalten,
der nicht gestört werden soll durch die Ausdifferenzierung
und Komplexität einer modernen Welt.

Dazu gehören jene Staatsanwaltschaften, die nur zögerlich er-
mitteln, wenn es um Übergriffe gegen Geflüchtete oder ihre
Unterkünfte oder gegen Schwule geht, dazu gehören jene
Beamte, die vornehmlich deutsche Zeugen für glaubwürdige
Zeugen halten und andere gar nicht dazu befragen, was sie

gesehen oder gehört haben. Dazu gehören all jene Menschen, die Juden oder Muslime oder Roma zwar verabscheuen, sich aber darin zügeln, ihre Missachtung zu äußern. Sie formulieren ihre Ablehnung vorsichtig. Nicht als blinden Hass, sondern als leise Sorge. Sie reden davon, dass diejenigen, die Flüchtlingsheime attackieren oder Presseteams, diejenigen, die gegen die »Eliten« wettern oder gegen »Washington«, nur gesellschaftlich abgehängt seien, dass sie ernst genommen werden müssten, dass ihre Gefühle nicht herablassend ignoriert werden dürften.

Der Hass von Clausnitz ist nicht bloß randständig. Vorbereitet und geduldet, mit Gründen und Zustimmung versehen wird dieser Hass längst aus der Mitte der Gesellschaft heraus. Dazu braucht es nicht viel. Dazu braucht es nur das stete, kleine Abwerten oder Infragestellen der Rechte von Menschen, die ohnehin über weniger Rechte verfügen. Dazu braucht es nur das stete, wiederholte Misstrauen gegenüber Migrantinnen und Migranten auf den Behörden, die besonders eilfertigen oder auch etwas härteren Kontrollen von Roma durch einzelne Polizeibeamte, den lauten Spott auf der Straße oder die leise Demütigung im Gesetz von Transpersonen, das Geraune von einer »schwulen Lobby« oder jene Sorte Israel-Kritik, die mit einem »man wird ja wohl mal sagen dürfen« anhebt. Es ist dieses mächtige Amalgam aus Praktiken und Gewohnheiten, aus Sprüchen und Witzen, aus kleinen Gehässigkeiten oder groben Unhöflichkeiten, die so beiläufig daherkommen, dass sie harmlos wirken – die aber alle, die sie erleben müssen, zermürben.

Das ist kein Hass. Das ist auch keine physische Gewalt. Und kaum jemand, der so agiert, glaubt sich in einer Gemeinschaft mit denen, die da auf der Straße stehen und ihre Verachtung herausbrüllen. Aber durch leise Duldung oder klandestine Zustimmung vergrößert sich der machtvolle Raum, in dem sich Menschen, die von der Norm abweichen, nicht sicher, nicht zugehörig, nicht angenommen fühlen. So entstehen Zonen, die unbewohnbar, unbegehbar werden für viele. Überall dort, wo die, die anders glauben oder anders lieben oder anders aussehen, unsichtbar gemacht, wo sie übersehen werden, als seien sie keine Menschen aus Fleisch und Blut, als würden sie keine Schatten werfen. Überall dort, wo die, die nicht der Norm entsprechen, zu Boden gerempelt werden, überall dort, wo niemand ihnen wieder aufhilft, wo sich niemand entschuldigt, überall dort, wo die, die etwas abweichen, zu etwas Monströsem gemacht werden, da entsteht *Komplizenschaft zum Hass.*

*

Es gibt übrigens noch ein zweites Video. Es wurde später aufgenommen. Von einer der Geflüchteten. Es gibt nur einen Bildausschnitt in der Mitte zu sehen, der rechte und linke Rand ist unscharf überblendet. Es zeigt, was der Hass anrichtet, es zeigt, was er auslöst bei denen, auf die er sich richtet. Auf dem Boden sitzt eine der Geflüchteten aus dem Bus, eine verschleierte Frau, die schreit und weint. Wieder und wieder schlägt sie mit beiden Händen auf ihre Knie. Neben ihr hockt eine junge Frau und versucht, sie zu beruhigen. Doch sie lässt sich nicht beruhigen. Die ganze Angst, die ganze Verzagtheit, die mitgebrachte wie die neu aufgebrochene, sie lassen sich nicht mehr unterdrücken. Es ist ein verzweifeltes, unkontrolliertes Weinen ohne Halt.

Die Kamera schwenkt herum, und es ist ein schlichter Raum zu sehen, anscheinend in der Unterkunft, in die die Geflüchteten aus dem Bus schließlich gebracht wurden.[31] Da sitzen sie nun, auf dem Boden oder auf Stühlen an einem kleinen Tisch, stumm, erschöpft, sie lehnen an den Wänden oder aneinander, offensichtlich im Schock, dass die lange Flucht sie noch immer nicht aus dem Radius der Gewalt gebracht hat, dass sie noch immer nicht an einem Ort angekommen sind, wo sie sich ausruhen können, wo sie nicht mehr wachsam sein müssen, wo sie endlich angstfrei leben dürfen. Sie sagen das nicht in diesen Aufnahmen – nur diese eine Frau weint ihre Verzweiflung heraus.

Was ihr und den anderen Insassen aus dem Bus in ihren Heimatländern widerfahren ist, das wissen wir im Einzelnen nicht. Was sie an Krieg und Vertreibung im Libanon, in Iran, Afghanistan oder in Syrien erlebt haben, das können wir nur erahnen. Wovor sie geflohen sind, wen sie zurücklassen mussten, welche Schreckensszenen sich nachts in ihrem Kopf abspielen, davon erfahren wir in diesem Video nichts. Aber wie beschämend es ist, was sie hier erlebt haben, das wissen alle, die dieses Video gesehen haben und die etwas anderes wahrnehmen können als ihre eigene monströse Projektion.

Doch es gibt noch eine andere Geschichte zu Clausnitz zu erzählen. Von anderen Menschen als denen, die sich als Volk behaupten. Sie gehören nicht zu jenem »Wir«, das sich im Hass und im Gebrüll vereint – und so ist ihnen auch weniger Aufmerksamkeit zuteil geworden. Um sie hat sich kein großes Forum gebildet, sie wurden nicht umringt von Claqueuren. Aber sie gehören auch zu Clausnitz. Will man ihre Geschichte hören, muss man sie suchen. Weil sie leiser sind als die Hassenden. Zu diesen leiseren Menschen von Clausnitz gehört Daniela (die nur ihren Vornamen nennen möchte). Fast wundert sie sich, dass sich jemand für ihre Perspektive interessiert. Nach einer E-Mail-Korrespondenz stimmt sie einem längeren Telefonat zu, in dem sie beschreibt, wie sie den Abend von Clausnitz erlebt hat.

Einen Tag zuvor hatten sich ein paar Mitglieder aus dem lokalen »Netzwerk Asyl« überlegt, wie sie die Neuankömmlinge am besten begrüßen könnten. Sie hatten sich gefragt, so erzählt es Daniela, was sie sagen könnten, wie sie die Flüchtlinge willkommen heißen könnten. Sie hatten als kleine Geste

Obst mitgebracht zu der Unterkunft in Clausnitz und ihre vorbereiteten Sätze. Zusammen mit den anderen Engagierten beobachtete Daniela das Geschehen aus der Unterkunft heraus, in die die Geflüchteten einziehen sollten. Dort waren sie sicher. Auch Daniela und ihre Kolleginnen waren schon verbal angegriffen worden. Sie erzählt, einer Frau aus dem Netzwerk sei an diesem Tag angekündigt worden, dass ihr Haus angezündet würde.

Daniela sieht, wie auf der Straße immer mehr Menschen zusammenkommen, um zu protestieren. Sie gesellt sich nicht zu ihnen, obwohl sie sie kennt. Sie bleibt auf Distanz. Es sind Nachbarn aus Clausnitz. Auch Familienväter. Manche haben ihre Kinder mitgebracht, als sei Geflüchtete-Einschüchtern etwas, das Kinder möglichst früh miterleben sollten. Daniela bleibt auch im Haus, als ein Traktor auftaucht und die Straße etwa 50 Meter vor der Unterkunft blockiert. »Wir hatten ein ungutes Gefühl. Wir waren ratlos. Aber es war klar: Da braut sich was zusammen.« Als der Bus schließlich eintrifft, als die Situation eskaliert, als sich immer mehr Menschen vor den Geflüchteten aufbauen und ihnen ihren Hass entgegenbrüllen, sieht Daniela keine »Fachkräfte für Raub und Diebstahl«, sie sieht keine »Invasoren«, keine »Fremden«, die »unsere Frauen« belästigen. Sie sieht Menschen, die bedroht werden. »Ich konnte die Angst in den Gesichtern sehen. Mir taten die Geflüchteten so leid.«

80

Auf einer Versammlung in der Turnhalle von Clausnitz war
schon im Januar über die geplante Unterbringung von Geflüchteten diskutiert worden. Dabei hatten einige Clausnit-
zer die Angst geäußert, die ausländischen Männer könnten
Frauen und Mädchen in der Stadt belästigen. Aber was, so
wurde eingewandt, wenn es Frauen und Kinder wären, die
in Clausnitz Zuflucht finden sollten? Ja, das wäre wohl etwas
anderes. Daran erinnert sich Daniela, als der Bus mit Frauen
und Kindern eintrifft – und nichts von dieser Differenzierung
mehr eine Rolle spielt. Der Hass blendet alle Hemmungen
aus. Es gibt keine Unterschiede, keine Präzision, keine Individuen mehr. Warum die Polizei in dieser Situation nicht
die Blockierer zurückgedrängt, warum sie nicht einen Platz-
verweis ausgesprochen hat, war für Außenstehende nicht zu
verstehen.

Alles, was sich Daniela und die anderen vorher ausgedacht
hatten, was sie sagen wollten, war angesichts der Situation
banal geworden. »Die erste Frau, um die ich mich schließlich kümmern konnte, die konnte nicht mehr, die konnte
nicht mehr gehen. Sie hat geweint und geschrien. Sie ist
ohnmächtig geworden. Wir mussten sie in ihr Zimmer tragen.« Daniela ist bei ihr geblieben. Stundenlang. Sie hat mit
ihr gesprochen, auch ohne eine gemeinsame Sprache. Erst
kurz vor Mitternacht ist sie dann nach Hause gegangen. Das
Obst hat sie dagelassen. Was aus den Hassenden vor dem
Bus geworden ist? Sobald die Geflüchteten im Haus waren,

so erzählt es Daniela, sei es auf einmal still geworden. Ganz still.

*

Clausnitz ist nur *ein* Beispiel für den Hass und die Raster der Wahrnehmung, die ihn vorbereiten und formen, die Menschen unsichtbar und monströs zugleich machen. In Clausnitz traf es einen Bus mit Geflüchteten. In anderen Städten, in anderen Regionen trifft es Menschen mit einer anderen Hautfarbe, einer anderen Sexualität, einem anderen Glauben, einem uneindeutigen Körper, es trifft junge oder alte Frauen, Menschen mit einer Kippa oder einem Kopftuch, Menschen ohne Obdach oder ohne Pass, was immer gerade als Objekt des Hasses zugerichtet wird. Sie werden eingeschüchtert, wie in diesem Fall, oder kriminalisiert, sie werden pathologisiert oder ausgewiesen, angegriffen oder verletzt.

Versehrt werden sie so oder so. Aber wie sehr sie versehrt werden, hängt davon ab, ob andere Menschen ihnen beistehen. »Die Wut entlädt sich auf den, der auffällt ohne Schutz«, heißt es bei Horkheimer und Adorno. Das ist eine Aufforderung für die staatlichen Institutionen, für die Polizei und die Ermittlungsbehörden, gegen jene vorzugehen, die mit ihrem Hass und ihrer Gewalt den öffentlichen Raum besetzen und in Zonen der Angst verwandeln. Das ist aber auch eine Aufforderung für alle, jederzeit achtsam zu sein, wo jemand im Schlamm der Demütigung und Missachtung zu versinken droht, wo die Fluten der Kränkung und des Hasses anschwellen und wo es einfach nur einer Geste bedarf, eines Einspruchs oder Zuspruchs, damit sich der Grund, auf dem alle stehen können, wieder festigt.

*

Hass und Missachtung
Teil 2: Institutioneller Rassismus (Staten Island)

»Dabei wollte ich ganz einfach ein Mensch unter
anderen Menschen sein. Ich wäre gern glatt und
jung in eine Welt gekommen, die unser war,
um gemeinsam mit anderen etwas aufzubauen.«

Frantz Fanon, Schwarze Haut, weiße Masken

Was sehen sie nur? Was sehen sie anders als ich? Das Video
in der unbearbeiteten Version, wie sie auf Youtube zu finden
ist, dauert elf Minuten und neun Sekunden.[32] Da steht der
Afroamerikaner Eric Garner am helllichten Tag auf dem Bürgersteig vor einem Geschäft für Schönheitsprodukte. Er trägt
ein graues T-Shirt, eine beigefarbene, knielange Hose und
Turnschuhe. Er spricht mit zwei weißen Polizisten in Zivil,
Justin D. und Daniel P., die sich seitwärts von ihm aufge-
stellt haben, beide mit tief ins Gesicht gezogenen Basecaps.[33]
D. zeigt Garner seinen Ausweis und fordert etwas, das nicht
zu verstehen ist. *»Get away? For what?«* Garner breitet beide
Arme aus. Keine Waffe, nirgends. Er attackiert die Polizisten nicht. Er bewegt sich beim Sprechen tatsächlich kaum
von der Stelle. Er macht auch keine Anstalten wegzurennen.
Die Geste der geöffneten Arme ist unmissverständlich. Eric

Garner kann nicht verstehen, warum er von den Beamten behelligt wird: »Ich habe nichts getan«. Es ist nicht genau zu hören, was D., der Beamte in der rechten Bildhälfte, antwortet, aber anscheinend geht es um den Vorwurf, Garner habe »*loosies*«, einzelne (unversteuerte) Zigaretten, verkauft. Eric Garner schlägt die Hände vors Gesicht. »Jedes Mal, wenn Ihr mich seht, macht Ihr mir Ärger. Ich bin es leid.« Er will nicht durchsucht werden, weil er nicht versteht, wieso er überhaupt von den Beamten kontrolliert und beschuldigt wird. »Das muss heute aufhören (…) Jeder, der hier herumsteht, kann Euch sagen: Ich habe nichts getan.«[34]

»Jeder, der hier herumsteht«, das meint das Publikum. Und tatsächlich mischen sich unbeteiligte Passanten ein. Sie schauen nicht nur zu, wie in Clausnitz, sondern sie agieren. Vielleicht weil sie nicht unbeteiligt *sind*. Vielleicht weil sie wissen, dass jedem von ihnen dasselbe geschehen könnte. Jeden Tag. Allein, weil ihre Hautfarbe nicht weiß ist. Da ist zunächst einmal der puerto-ricanische Passant, der mit seinem Handy filmt: Ramsey Orta. Seine Stimme ist immer wieder aus dem Off zu hören. Er kommentiert das, was er filmt, er spricht halb zur Kamera, halb zu anderen Passanten. Gleich zu Anfang ist zu hören, wie er Eric Garner bestätigt. »Er hat nichts getan.« Einer der Polizisten versucht daraufhin, den lästigen Zeugen zu verscheuchen. Doch der weist sich als Anwohner aus und hält seine Stellung. Er filmt weiter, auch wenn es dem Beamten nicht gefällt. Zwar wollen die

Polizisten nicht, dass sie bei dem, was hier geschieht, gefilmt werden. Andererseits stört es sie auch nicht so sehr, dass sie von Eric Garner ablassen würden. Vielleicht fühlen sie sich im Recht. Vielleicht wissen sie auch nur, dass ihnen nachträglich meistens recht gegeben wird. Es gibt noch eine weitere Zeugin, die interveniert. Auf dem Video ist eine schwarze Frau zu sehen, die mit einem Notizblock hinzutritt und die Beamten um ihre Namen bittet. Doch auch das wird die Polizisten nicht an dem hindern, was folgt.

Minutenlang diskutiert Eric Garner mit dem Beamten D. Garner erklärt, er habe nur einen Streit geschlichtet. Nichts weiter. Wieder und wieder sagt Garner, er habe nichts getan. Wieder und wieder ist die Stimme aus dem Off zu hören, die Garners Version bestätigt. Nach einer Weile sieht man den im Bildhintergrund stehenden Polizisten, Daniel P., wie er über sein Funkgerät anscheinend Verstärkung ruft. Wozu? Eric Garner ist zwar ausgesprochen groß und schwer, aber er bedroht niemanden. Es geht in dieser Situation keinerlei Gefahr von ihm aus. Vor allem: Was er verbrochen haben soll, ist noch immer unklar. Warum er überhaupt festgenommen werden soll, ist nicht verständlich. Vielleicht weil er sich nicht ausweisen kann? Weil er keine Körperkontrolle zulassen will? Was sehen die Beamten nur? Warum können sie diesen großen, etwas unbeholfen wirkenden Mann nicht in Ruhe lassen? Auch wenn er in der Vergangenheit wegen des Verkaufs von »loosies« aufgefallen war, an diesem Nachmittag im Juli 2014, vor dem »Bay Salon« in Tompkinsville, Staten Island, gibt es keinerlei Hinweise darauf, dass er unversteuerte Zigaretten verkaufen wollte. Keine Tasche, keinen Rucksack, in dem er die Ware verstaut haben könnte. Was sehen sie nur?

Es gibt auf diesen Aufnahmen kein Zeichen des Zorns, keine Aggression. Nichts deutet auf eine Eskalation zur Gewalt hin. Aus Garner spricht eher Verzweiflung als Wut. Die beiden muskulösen Beamten wirken auch nicht besonders beunruhigt. Sie müssen auf genau solche Situationen trainiert sein. Sie sind zu zweit, sie können jederzeit Verstärkung holen. Der Mann in den kurzen Hosen bedroht sie nicht. Nach über vier Minuten des Gesprächs zückt Justin D. die Handschellen an seinem Hosenbund. Er und P. nähern sich gleichzeitig, von vorn und von hinten, Eric Garner ruft: »Bitte, fasst mich nicht an«, und windet sich, als P. ihn von hinten packen will. Er will nicht verhaftet werden.[35] Vielleicht wird das als Widerstand gegen die Staatsgewalt gedeutet. Aber Garner schlägt keinen der Polizisten. Er greift sie nicht an. Er hebt beide Hände in die Höhe – als der Beamte in seinem Rücken ihn mit einem Würgegriff in den Schwitzkasten nimmt. Zwei weitere Polizisten kommen hinzu, und zu viert reißen und drücken sie Eric Garner zu Boden, wo er zunächst auf allen vieren landet. Immer noch umklammert ihn P. von hinten. Er liegt auf Garner und hält seinen Hals im Würgegriff. Was sehen sie nur?

In dem Klassiker der postkolonialen Theorie *Schwarze Haut, weiße Masken* beschreibt der französische Psychiater, Politiker und Schriftsteller Frantz Fanon im Jahr 1952 den weißen Blick auf einen schwarzen Körper: »Der N. ist ein Tier: der N. ist schlecht, der N. ist bösartig, der N. ist hässlich; sieh mal, ein N., es ist kalt, der N. zittert, der N. zittert, weil er friert, der kleine Junge zittert, weil er Angst vor dem N. hat, der N. zittert vor Kälte, jener Kälte, die dir die Knochen verrenkt, der niedliche Junge zittert, weil er glaubt, dass der N. vor Wut zittert, der kleine weiße Knabe wirft sich in die Arme seiner Mutter: Mama, der N. will mich fressen.«[36] Wenn ein schwarzer Körper zittert, so Fanon, kann es von einem weißen Jungen, dem beigebracht worden ist, Angst vor dem schwarzen Körper zu empfinden, nicht als Zeichen der Kälte gesehen werden, sondern nur als Symptom der Wut. Ein weißer Junge, so Fanon, wächst auf mit den Assoziationsketten, die einen schwarzen Körper mit einem Tier in Verbindung bringen, mit etwas Unberechenbarem, etwas Wildem, Gefährlichem, er sieht einen schwarzen Körper und denkt umgehend an die Attribute »schlecht«, »bösartig«, »hässlich«, er denkt sofort: »Der will mich fressen.«

Die Wahrnehmung, das sichtbare Feld, ist nicht neutral, sondern es ist vorgeformt durch historische Raster, in denen auch nur bemerkt und registriert wird, was diesem Raster entspricht. In einer Gesellschaft, in der das Zittern eines schwarzen Körpers immer noch gedeutet wird als Ausdruck von Wut, in der weiße Kinder (und Erwachsene) immer noch geschult werden in ihrem Blick auf Schwarze als etwas, das es zu meiden oder fürchten gelte, werden Eric Garner (oder Michael Brown oder Sandra Bland oder Tamir Rice oder all die anderen Opfer weißer Polizeigewalt) als bedrohlich *gesehen*, auch wenn von ihnen keinerlei Gefahr ausgeht. Dabei bedarf es nach Generationen der Schulung in diesem Blick gar nicht mehr realer Angst, um den schwarzen Körper zu misshandeln. Die Angst hat sich längst verwandelt und eingeschrieben in das institutionelle Selbstverständnis der Polizei. Das rassistische Raster, das in jedem schwarzen Körper etwas Furchteinflößendes wahrnimmt, hat sich übersetzt in die Haltung von weißen Polizisten, die es als ihren Auftrag betrachten, die Gesellschaft vor eben dieser eingebildeten Gefahr zu beschützen. Sie brauchen individuell keinen akuten Hass und keine akute Angst, um die Rechte von Schwarzen einzuschränken. Und so wird auch der schwarze Körper als Bedrohung gesehen, wenn er schon wehrlos und halbtot ist.[37]

Unter einem Knäuel von Beamten liegt Garner seitwärts auf dem Boden, den linken Arm hinter den Rücken gebogen, den rechten Arm ausgestreckt auf dem Bürgersteig. Immer noch hängt ihm der Beamte im Genick. Alle zusammen drehen sie den wehrlosen Garner auf den Bauch. Was sehen sie nur? *»I can't breathe«*, »Ich kann nicht atmen«, es sind 4:51 Minuten vergangen auf dem Video, als diese Worte von Eric Garner das erste Mal zu hören sind, *»I can't breathe«*, ein zweites Mal, es ist Minute 4:54, im Bildausschnitt sind fünf Beamte zu sehen, die alle diesen schwarzen Körper malträtieren. Sie lassen nicht ab. Auch wenn sie alle Garners verzweifelten Ausruf hören müssen. Der Beamte, der ihn mit seinem Würgegriff zu Fall gebracht hat, kniet nun und stemmt mit beiden Händen Garners Kopf auf den Bürgersteig. »*I can't breathe*«, 4:56, alle zwei Sekunden bricht es aus Garner hervor, 4:58 »*I can't breathe*«, »*I can't breathe*«, »*I can't breathe*«, »*I can't breathe*«, elfmal keucht der asthmakranke Eric Garner, dass er nicht atmen kann. Dann hört man nichts mehr.

Ein Beamter stellt sich vor die Kamera und schirmt die Szene ab. Die Stimme aus dem Off sagt: »Wieder einmal verprügelt die Polizei den Falschen.« Als der Blick wieder freigegeben wird, liegt Eric Garner am Boden, immer noch hocken mehrere Polizisten auf dem (und um den) regungslosen Körper herum. Aus dem Off ist zu hören: »Alles, was er getan hat, war, einen Streit zu schlichten, und das ist, was passiert.« Nach einer Minute liegt Eric Garner immer noch da. Um es deutlich zu sagen: Da liegt *ein Mensch* auf dem Boden. Bewusstlos. Aber niemand kommt auf die Idee, dem Wehrlosen die Handschellen abzunehmen. Niemand versucht, Wiederbelebungsversuche einzuleiten. Die Beamten, die ihn umringen, heben bloß den leblosen Körper hoch und legen ihn wieder ab. Wie ein Ding. Sie sorgen sich nicht um diesen Menschen, denn sie sehen ihn offensichtlich nicht als Menschen. Sie wirken auch nicht aufgeregt oder verzweifelt über das, was sie angerichtet haben. Als sei dieser Zustand, in den sie Eric Garner durch ihre Gewalt gebracht haben, der beste Zustand, in dem sich ein schwarzer Körper befinden kann.

»Es ist so leicht, den Schmerz des Anderen zu übersehen«, schreibt Elaine Scarry in »Das schwierige Bild des Anderen«, »dass wir sogar fähig sind, ihm diesen Schmerz zuzufügen oder ihn zu verstärken, ohne dass uns dies berührte.«[38]

Das Einzige, was einem hilft, dieses Video zu ertragen, ist die Stimme des Zeugen. Er kann nichts ändern an dem furchtbaren Geschehen, aber er schaut nicht weg, er schaut hin. Es ist eine Gegen-Öffentlichkeit, eine *andere Weise des Sehens*, die das Geschehen anders situiert und deutet. Seine Kommentare ergänzen das Geschehen um eine kritische Perspektive. Er beschreibt, was *er* sieht: einen wehrlosen Menschen, der von der Polizei ohne Anlass angegriffen wurde. »*They didn't run and get the n… that was fightin', they get the n… that broke it up.*« Der Zeuge, der filmt, Ramsey Orta, wird immer wieder gedrängt, die Szene zu verlassen, schließlich ändert er seinen Standort und filmt frontal den »Beauty-Salon«, vor dessen Eingang Eric Garner liegt. Es gibt eine kurze Unterbrechung des Videos. Wie viel Zeit vergangen ist, lässt sich nicht sagen. Der Film zeigt Minute acht an, als schließlich eine Beamtin zu dem bewusstlosen Eric Garner tritt und anscheinend seinen Puls fühlt. Nach weiteren zwei Minuten, in denen nichts Hilfreiches geschieht, in denen niemand eine Herzmassage oder irgendwelche lebensrettenden Maßnahmen unternimmt, spaziert auf einmal der Polizist ins Bild, der Eric Garner mit seinem Würgegriff umgerissen hat: Daniel P. Er läuft scheinbar ziellos auf und ab. Der filmende Zeuge spricht ihn an: »*Don't lie, man … I was here watching the whole shit.*« Der Polizist geht auf ihn zu, winkt ab, als ob es egal sei, was dieser gesehen hat, als ob nur der Blick eines weißen Polizisten zählte, er sagt: »*Yeah, you know everything.*« Und in diesem »*you*« klingt die Herablassung der Macht an, die sich sicher ist, dass dieses »*you*« niemals gleichwertig sein wird, in diesem »*you*« klingt die Gewissheit an, dass es keine Rolle spielen wird, was dieser Zeuge gesehen hat, weil einem weißen Polizisten immer eher geglaubt wird als einem zivilen puerto-ricanischen Zeugen.

Es gibt noch ein zweites Video. Aus einer anderen Perspektive. Es wurde offensichtlich aus dem Schönheitssalon hinaus durch die offene Eingangstür gedreht. Es setzt sehr viel später ein. Eric Garner liegt schon regungslos auf dem Boden. Um ihn herum Beamte der hinzugerufenen Streife, die mal auf den schweren Körper klopfen, ihn mal drehen, ihm kurz den Puls am Hals fühlen. Einer der Polizisten sucht Eric Garners hintere Hosentasche ab – aber niemand bemüht sich, den Bewusstlosen wiederzubeleben. Aus dem Off ist jetzt die Stimme einer Frau zu hören: »NYPD, die Menschen belästigen … er hat rein gar nichts gemacht … sie wollen ihm keinen Krankenwagen holen …«. Es vergehen weitere Minuten, ohne dass jemand Hilfe leistet. Es sieht so aus, als hätte noch immer niemand Eric Garner die Handschellen abgenommen. Einer der Polizisten zieht ein Handy aus Garners Hosentasche und reicht es einem Kollegen. Nach knapp vier Minuten sieht man eine Kollegin, die sich über Garner beugt und ihn betrachtet. Sie fühlt ihm den Puls, im Stehen, spricht ihn an, mehr nicht. Es dauert noch Minuten, bis ein Notarztwagen eintrifft. Eric Garner wird auf die Trage gelegt – die Kamera schwenkt etwas seitlich und fängt den Polizisten Daniel P. ein. Er bemerkt, dass er gefilmt wird, und winkt in die Kamera.

Eric Garner starb auf dem Weg ins Krankenhaus an Herzversagen. Er wurde 43 Jahre alt. Er hinterließ eine Frau, sechs Kinder und drei Enkelkinder. Die Gerichtsmedizin wird später als Todesursache »Würgegriff«, »Zusammenpressen der Brust«, »Zusammenpressen des Nackens« diagnostizieren – und ein Tötungsdelikt (»homicide«) feststellen.[39]

»Angst! Angst! Man fing also an, sich vor mir zu fürchten«, heißt es bei Frantz Fanon, »Ich wollte mich amüsieren, bis zum Ersticken, doch das war mir unmöglich geworden.«[40]

Der Würgegriff, der Eric Garner tötete, war nicht spontan. Auch wenn er in dieser Szene so daherkommt. Der Würgegriff hat eine lange Tradition. Allein in Los Angeles fielen zwischen 1975 und 1983 sechzehn Menschen dem Würgegriff zum Opfer. In New York starb zwanzig Jahre vor Eric Garner ein 29-jähriger Mann aus der Bronx, Anthony Baez, ebenfalls mit chronischem Asthma, durch den Würgegriff eines Polizei-beamten.[41] Der Anlass war in diesem Fall kein vermeintlicher Zigarettenverkauf, sondern das Spielen mit einem Football, der – aus Versehen (wie auch die Polizei bestätigte) – gegen ein parkendes Polizeiauto geflogen war. Der Würgegriff, der Eric Garner tötete, ist schon lange nicht mehr legal: Das New York Police Department hat diese Kampf-Technik bereits 1993 verboten. Gleichwohl entschied eine Grand Jury, die die Umstände des Todes von Eric Garner zu untersuchen und über das Verhalten des Officers Daniel P. zu befinden hatte, nach zwei Monaten der Verhandlung, keine Anklageerhebung zuzulassen.

»Die Zerstörer sind nicht beispiellos böse, sondern schlicht Menschen, die die Launen unseres Landes umsetzen, die sein Erbe und sein Vermächtnis richtig deuten, bis heute«, schreibt Ta-Nehisi Coates in *Zwischen mir und der Welt*.[42] Es braucht gar nicht einmal Bösartigkeit. Es braucht nicht einmal akuten, heftigen Hass. Es braucht, so Coates, nur die Gewissheit eines Erbes, in dem Schwarze immer erniedrigt, missachtet oder misshandelt werden konnten, ohne Strafe. Es braucht nur die tradierte Vorstellung der Angst, die schwarze Körper mit Gefahr assoziiert und deswegen jede Gewalt gegen sie als immer schon berechtigt gelten lässt. In diesem histo-risch eingeübten Blick gehen alle konkreten Hinweise dar-auf, wie objektiv wehrlos oder unschuldig Eric Garner oder Sandra Bland oder die Gläubigen der Emanuel AME Church in Charleston sind, verloren. In diesem Erbe erscheint die weiße Paranoia als immer schon legitimiert.

Der Würgegriff, der Eric Garner tötete, war zwar individuell, weil es nur Daniel P. war, der ihn in dieser Situation einsetzte, aber er fügt sich ein in die Geschichte weißer Polizeigewalt gegen Afroamerikaner, auf die zuletzt die *#blacklivesmatter*-Bewegung aufmerksam gemacht hat. Zur kollektiven Erfahrung von Afroamerikanerinnen und Afroamerikanern, zum Erbe der Sklaverei gehört die Angst vor weißer Gewalt. Das ist das trostlose Paradox: Dass die rassistische Angst vor dem schwarzen Körper gesellschaftlich anerkannt und reproduziert wird, die begründete Angst der so stigmatisierten Schwarzen vor weißer Polizeigewalt dagegen im toten Winkel eben dieses Rassismus bleibt. »Man muss nicht zwangsläufig glauben, dass der Polizist, der Eric Garner erwürgt hat, an dem Tag auszog, um einen Körper zu zerstören. Man muss nur begreifen, dass der Polizist die Ermächtigung des amerikanischen Staates hat und das Vermächtnis Amerikas trägt«, schreibt Ta-Nehisi Coates, »beides zusammen führt zwangsläufig dazu, dass von den jährlich zerstörten Körpern eine wahnwitzig und unverhältnismäßig hohe Zahl schwarz ist.«[43]

Institutionelle Diskriminierung oder institutionellen Rassismus zu konstatieren heißt nicht, jedem einzelnen Polizisten oder jeder einzelnen Polizistin ein Fehlverhalten oder eine rassistische Einstellung zu unterstellen. Selbstverständlich gibt es zahllose Polizeibeamte, denen jede Form von Benachteiligung oder Gewalt gegenüber Schwarzen zuwider ist und fern liegt. Natürlich gibt es ungeheuer engagierte Beamte, die gegen die historische Last des Rassismus aufbegehren. Und es gibt auch regionale Behörden, die sich besonders um die lokale schwarze Bevölkerung bemühen und versuchen, Vertrauen aufzubauen und die Gewalt einzuhegen.[44] Aber leider ist beides zutreffend: Es gibt eine Vielzahl individuell integrer Polizistinnen und Polizisten und einen in die Institution der Polizei und ihr Selbstverständnis eingelassenen Rassismus, der in schwarzen Körpern eher eine Gefahr sieht als in weißen. Die Polizei spiegelt auf ihre Weise die Spaltung der Gesellschaft, die zur Alltagserfahrung schwarzer Menschen in den Vereinigten Staaten gehört.

Noch immer wachsen Afroamerikanerinnen und Afroamerikaner in dem konstruierten »Widerspruch« auf, schwarz und Amerikaner zu sein. Schwarze gehören angeblich zur amerikanischen Gesellschaft und bleiben doch permanent außen vor.[45] Nach wie vor dokumentieren die Zahlen eine soziale Spaltung der Vereinigten Staaten und die Benachteiligung von Schwarzen. Von den 2,3 Millionen Häftlingen in amerikanischen Gefängnissen sind laut einer Statistik der Bürgerrechtsorganisation NAACP allein eine Million Afroamerikaner. Afroamerikaner werden sechsmal so häufig zu Haftstrafen verurteilt wie Weiße. Nach einer Studie der Organisation *Sentencing Project* erhalten Afroamerikaner für ein

Drogendelikt im Schnitt eine annähernd so lange Haftstrafe
(58,7 Monate) wie weiße Straftäter für ein Gewaltverbrechen
(61,7 Monate). Zwischen 1980 und 2013 wurden in den USA
mehr als 260 000 afroamerikanische Männer ermordet. Zum
Vergleich: Im gesamten Vietnamkrieg starben 58 220 ameri-
kanische Soldaten.

Wer selber weiß ist, kann sich eine solche Erfahrung struktureller Missachtung oft nicht vorstellen: Warum, so lässt sich
für Weiße leicht denken, sollten Schwarze kontrolliert werden, wenn sie nichts angestellt haben? Warum, so können sich
Weiße leicht fragen, sollten Schwarze verhaftet werden ohne
Grund, warum sollten sie geschlagen werden, wenn sie nicht
mit Gewalt gedroht hätten, warum sollten sie zu längeren Ge-
fängnisstrafen verurteilt werden, wenn sie sich genau dersel-
ben Straftaten schuldig gemacht haben wie Weiße? Warum,
so kann sich fragen, wer Ungerechtigkeit nicht alltäglich erlebt, warum sollte es ungerecht zugehen in der Welt?

Wer der Norm entspricht, kann dem Irrtum erliegen, dass
es sie nicht gibt. Wer der Mehrheit ähnelt, kann dem Irrtum
erliegen, dass die Ebenbildlichkeit mit der die Norm setzen-
den Mehrheit keine Rolle spielt. Wer der Norm entspricht,
dem oder der fällt oft nicht auf, wie sie andere ausgrenzt oder
degradiert. Wer der Norm entspricht, kann sich oft ihre Wirkung nicht vorstellen, weil die eigene Akzeptanz als selbstverständlich angenommen wird. Aber Menschenrechte gelten für

alle. Nicht nur für diejenigen, die einem ähnlich sind. Und so gilt es achtsam zu sein, welche Sorten der Abweichung, welche Formen der Andersartigkeit als relevant für Teilhabe oder als relevant für Respekt und Anerkennung ausgegeben werden. Und so gilt es zuzuhören, wenn diejenigen, die abweichen von der Norm, erzählen, wie es sich im Alltag anfühlt, ausgegrenzt und missachtet zu werden – und sich in diese Erfahrung erst einmal hineinzuversetzen, auch wenn sie einem selbst nie widerfahren sein mag.

Wer zum ersten Mal von der Polizei ohne erkennbaren Grund kontrolliert wird, dem mag das unbequem sein, aber der oder die nimmt das hin ohne Unmut. Wer aber wieder und wieder grundlos behelligt wird, wer sich wieder und wieder ausweisen muss, wer wieder und wieder Körperkontrollen über sich ergehen lassen muss, für den oder die wird aus einer zufälligen Unannehmlichkeit systematische Kränkung. Dazu gehören nicht nur Erfahrungen mit institutionellem Rassismus oder Polizeigewalt, dazu gehören auch niederschwellige, kleinere Zumutungen. Barack Obama hat in einer Pressekonferenz im Zusammenhang mit der Tötung des schwarzen Jugendlichen Trayvon Martin von diesen alltäglichen Verletzungen berichtet. Obama sprach von sich selbst und zugleich von der Erfahrung aller Afroamerikanerinnen und Afroamerikaner, die im Supermarkt regelmäßig und grundsätzlich wie ein Dieb beobachtet werden, denen Geschäftskredite ohne erkennbaren Grund nicht gewährt werden, die auf der Straße das Geräusch von sich schlagartig verriegelnden Autotüren vernehmen müssen – immer und ausschließlich, weil sie als Gefahr, als Bedrohung, als monströse Andere wahrgenommen werden.

Zu diesen Zumutungen, die leicht unbeachtet bleiben für jene, die sie nicht täglich erleben müssen, gehört auch: verwechselt zu werden. Nicht mit irgendjemand anderem, der einem tatsächlich ähnlich sieht. Sondern einfach nur mit jemandem, der dieselbe Hautfarbe hat – als ob alle Schwarzen gleich aussähen. Ich kenne das von mir selbst, allerdings nicht gegenüber schwarzen Menschen. In einem Seminar in den USA stand ich als Dozentin einmal drei asiatisch-amerikanischen Studentinnen gegenüber. Sie sahen sich in kaum etwas ähnlich. Sie waren, wenn sie direkt vor mir saßen, selbstverständlich und leicht auseinanderzuhalten. Als aber in der ersten Woche eine einzelne Studentin zu mir in die Sprechstunde kam, wusste ich nicht, um welche der drei es sich handelte. Ich glaube, ich habe das ihr gegenüber verbergen können, aber es war beschämend. Ich hoffe, dass es schlicht mit Unerfahrenheit zu tun hatte. Eine deutsch-japanische Freundin von mir in Berlin hat mich später beruhigt, indem sie erläuterte, dass das umgekehrt manchen Asiatinnen und Asiaten auch mit Gesichtern wie meinem so ginge. Vielleicht ist es nicht verwerflich, mit Namen oder Gesichtern, die einem seltener begegnen, anfangs Mühe zu haben. Aber verwerflich ist es, darauf nicht zu reflektieren und sich zu bemühen, die Namen und Gesichter – und damit eben die Menschen als

Individuen – besser kennenzulernen. Denn für die, die da »verwechselt« werden, nicht nur einmal, sondern immer wieder, prägt sich die Erfahrung nicht bloß als Ahnungslosigkeit, sondern als Missachtung ein. Als ob sie als Individuen nichts zählten.[46]

Regelmäßig Demütigungen dieser Art zu erfahren, führt mit der Zeit zu einer Melancholie, die alle kennen, die sich irgendwo in dem Raster zwischen unsichtbar und monströs bewegen. Jeden Tag oder jede Woche, in alltäglichen Begegnungen auf der Straße, in Bars, in Gesprächen mit Bekannten oder Unbekannten immer wieder sich erklären zu müssen, sich wehren zu müssen gegen falsche Unterstellungen, gegen Ressentiments und Stigmatisierungen, das raubt nicht nur Kraft, das verstört auch. Permanent verletzt zu werden in ideologisch aufgeladenen Begriffen und Gesetzen, in Gesten und Überzeugungen, das ist nicht nur eine Irritation, das lähmt auch. Dem Hass ausgesetzt zu sein, wieder und wieder, lässt Betroffene oft verstummen. Wer als pervers oder gefährlich, als minderwertig oder krank bezeichnet wird, wer sich rechtfertigen soll für die eigene Hautfarbe oder die eigene Sexualität, für den eigenen Glauben oder auch nur für eine Kopfbedeckung, dem oder der geht oft auch die Position verloren, von der aus sich frei und unbeschwert sprechen lässt.[47]

Hinzu kommt noch ein gern übersehenes Moment der Scham: Es ist unangenehm, *selbst* darauf hinweisen zu müssen, wann und wie Worte oder Gesten, Praktiken und Überzeugungen einen verletzen und ausschließen. Zumindest mir geht das so. Insgeheim wünsche ich mir, es würden *alle* eine Ungerechtigkeit bemerken, auch wenn sie selbst nicht von ihr betroffen sind. Es gehört zu meiner moralischen Erwartung an andere oder – vielleicht klingt das sanfter – zu meinem Vertrauen in die eigene Gesellschaft: unterstellen zu können, dass nicht nur die Opfer von Demütigung oder Missachtung sich zur Wehr setzen, ja, dass nicht nur sie eine solche Kränkung als verletzend empfinden, sondern *alle*. Insofern hat es auch etwas merkwürdig Enttäuschendes, darauf zu warten, jemand anderes würde sich einmischen – und nichts passiert.

Es kostet deswegen immer etwas Überwindung (nicht nur der Angst, sondern auch der Scham), für sich selbst zu sprechen. Jedes Aufbegehren, jeder Widerspruch setzt ja voraus, die vorausgehende Herabsetzung, die eigene Verletzung erwähnen zu müssen. Hannah Arendt hat einmal gesagt: »Man kann sich nur als das wehren, als was man auch angegriffen ist.« In ihrem Fall bezog es sich darauf, als Jüdin zu reagieren, wenn sie als Jüdin attackiert wird. Das bedeutet jedoch auch, sich immer zu fragen, als wer man angegriffen wurde, und sich dazu ins Verhältnis zu setzen, als wer man dann spricht. Als die, die für andere unsichtbar und monströs ist? Als die, deren Leben im Alltag, durch Gesten und Sprache, durch Gesetze und Gewohnheiten, eingeschränkt und belastet ist? Als die, die diese Raster der Wahrnehmung, diese Zuschreibungen, diesen Hass nicht mehr erdulden will?

Was es besonders schmerzlich macht: Die tiefe Melancholie des Missachtetwerdens ist etwas, das kaum gezeigt werden darf. Wer seine Verletzung artikuliert, wer seine Trauer über diese ewig selben Formen der Ausgrenzung nicht mehr unterdrückt, dem oder der wird gern unterstellt, »zornig« zu sein (die Beschreibung »*angry black man*«, »*angry black woman*« gehört zur Stilisierung, in der die Verzweiflung der Ohnmächtigen umgedeutet wird in einen vermeintlich grundlosen Zorn), »humorlos« zu sein (gegenüber Feministinnen oder auch lesbischen Frauen gehört das zum Standardrepertoire), von der eigenen qualvollen Geschichte »profitieren« zu wollen (gegenüber Jüdinnen und Juden). Alle diese abwertenden Etiketten dienen vor allem dazu, den Opfern von struktureller Missachtung die Möglichkeit zu nehmen, sich zu wehren. Sie werden auf diese Weise von vornherein belegt mit einer Zuschreibung, die ihnen das Sprechen erschwert.

Wer nie gedemütigt wurde, wer sich nie hat wehren müssen gegen soziale Missachtung, wer sich nicht im Raster zwischen unsichtbar und monströs wiederfindet, kann sich kaum vorstellen, wie schwer es ist, im Moment der Kränkung oder Verletzung auch noch *heiter und dankbar* wirken zu sollen, um ja nicht die Attribute »zornig«, »humorlos« oder »gierig« auf sich zu ziehen. Die implizite Erwartung, doch bitte schön »gelassen« zu reagieren auf systematische Kränkung oder Missachtung, ist zusätzlich belastend, weil sie unterstellt, es gäbe keinen Anlass dazu, gekränkt oder echauffiert zu sein.

Vermutlich ist das der Grund, warum für mich der berührendste und bitterste Moment in dem Eric-Garner-Video nicht der ist, in dem das vielzitierte »*I can't breathe*« ausgesprochen wird. Der beeindruckendste Moment ist für mich der, in dem Eric Garner, noch bevor die Beamten ihn angreifen, sagt: »*It stops today*«. Die Verzweiflung in seiner Stimme, mit der er das sagt. »Das muss heute aufhören«, da spricht einer, der es einfach nicht mehr aushält, wieder und wieder kontrolliert und verhaftet zu werden, der seine Rolle in einem ungerechten Stück nicht mehr akzeptieren will, die Rolle eines Schwarzen, der es gelassen hinnehmen soll, permanent gedemütigt und erniedrigt zu werden, »Das muss heute aufhören«, das meint auch diesen Blick, der unsichtbar macht oder monströs, der Menschen wie den Jungen in der U-Bahn »übersehen« und zu Boden stoßen lässt oder der Menschen wie Eric Garner noch als Gefahr behaupten lässt, als er schon bewusstlos und in Handschellen am Boden liegt.

Vielleicht berührt mich das auch so, weil es mir selbst verdeutlicht, als wen ich Eric Garner erinnert wissen möchte: Nicht allein als den regungslosen Körper, der am Boden unter dem Knäuel von Beamten liegt, nicht als den, der »*I can't breathe*« hervorpresst, bevor er stirbt, sondern als denjenigen, der »*I'm tired of it. This stops today*« sagt, der Einspruch erhebt, der die Geschichte der ewigen Überprüfungen und Körperkontrollen, die lange Geschichte der schwarzen Angst vor weißer Polizeigewalt unterbrechen will. In dem Ausruf »*I can't breathe*« klingen der Schmerz und die Todesqual an, und dadurch hat er sich für die Kampagnen in den Vereinigten Staaten vermutlich auch durchgesetzt. Es taugt als Anklage gegen die endemische Polizeigewalt. Das »*I can't breathe*«, das für jeden der Beamten hörbar gewesen sein muss, belegt ihre Gleichgültigkeit: Ob ein Schwarzer keine Luft bekommt, ob er möglicherweise stirbt – das ist ihnen anscheinend egal. Eine solche Gleichgültigkeit kann sich nur leisten, wer keine ernsten Strafen erwarten muss.

»*This stops today*« dagegen meint nicht nur diesen Augenblick der Misshandlung selbst, sondern den jahrhundertealten Hass, der sich längst abgekühlt und eingelagert hat in institutionelle Praktiken der rassistischen Benachteiligung und Ausgrenzung, »*This stops today*« meint auch die gesellschaftliche Duldung, das bequeme Hinnehmen von dem, was sich angeblich nicht ändern lässt, nur weil es alt ist. Mit diesem »Das muss heute aufhören« behauptet Eric Garner auch seine subjektive Würde als Einzelner, der sich diese Würde nicht mehr absprechen lassen will.

Und es ist diese Würde, die alle verteidigen sollten: »Das muss heute aufhören«, dieser Hass, diese Gewalt, in Staten Island oder in Clausnitz. »Das muss heute aufhören«, die populistische Aufwertung von Affekten zu politischen Argumenten, die rhetorischen Tarnkappen, »Angst« und »Sorge«, die den bloßen Rassismus verdecken. »Das muss heute aufhören«, dieser öffentliche Diskurs, in dem jede gefühlte Verwirrung, jede innere Schäbigkeit, jeder verschwörungstheoretische Irrglaube als unantastbar, als authentisch und wertvoll gilt und sich damit dem Zugriff von kritischer Reflexion und auch der Empathie entziehen will. »Das muss heute aufhören«, diese Raster, in denen der Hass kanalisiert wird, diese Muster, in denen Normen erst definiert werden, von denen abzuweichen dann zum Stigma und zur Ausgrenzung führt. »Das muss heute aufhören«, diese innere Disposition, die dazu führt, dass manche »übersehen« und zu Boden gestoßen werden, ohne dass ihnen jemand aufhilft und sich entschuldigt.

*

2. HOMOGEN – NATÜRLICH – REIN

»Heimat ist das, wovon man ausgeht /
Wenn wir älter werden, /
wird die Welt immer fremder, verworrener das Gefüge.«

T. S. Eliot, Vier Quartette

Das *Buch der Richter* erzählt die alte und immer noch aktuelle
Geschichte vom Ausgrenzen eines Anderen: »Und die Gileaditer besetzten die Furten des Jordans vor Ephraim. Wenn
nun einer von den Flüchtlingen Ephraims sprach: Lass mich
hinübergehen!, so sprachen die Männer von Gilead zu ihm:
Bist du ein Ephraimiter? Wenn er dann antwortete: Nein!,
ließen sie ihn sprechen: Schibbolet. Sprach er aber: Sibbolet,
weil er's nicht richtig aussprechen konnte, dann ergriffen sie
ihn und erschlugen ihn an den Furten des Jordans, sodass zu
der Zeit von Ephraim fielen zweiundvierzigtausend.« (*Buch
der Richter* 12, 5–6)

Das eine Wort »Schibboleth« (hebräisch für »Getreideähre«)
soll also entscheiden, wer die Schwelle überschreiten darf –
wer zugehörig ist und wer nicht. Es reicht nicht der *Wunsch*
dazuzugehören, es reicht nicht, die eigene Herkunft aufzuge-

ben und sich zu einer neuen Heimat zu bekennen. Sondern eine solche Aussage wird überprüft. Das Wort »Schibboleth«, das die einen zutreffend aussprechen können und die anderen nicht, diese zufällige Fähigkeit oder Unfähigkeit entscheidet darüber, wer zum Freund erklärt wird und wer nicht. Das eine Wort ist die Parole, die das »Wir« vom »Sie«, die »Einheimischen« von »Fremden« trennt.

Für die Ephraimiter, so erzählt es uns das *Buch der Richter*, war die Aufgabe so existentiell wie unlösbar. Ihr Passierschein über den Fluss Jordan hing an einem winzigen Detail: am *Schi* in Schibboleth. Sprachen sie das Losungswort, klang es bei ihnen falsch. »Sie machten sich dadurch bemerkbar, dass sie ein solcherart codiertes Merkmal nicht (wieder) bemerken konnten.«[1] Das Kriterium der Zugehörigkeit ist also etwas, das den einen gegeben ist und den anderen nicht. Es ist für die Menschen aus Ephraim offensichtlich nichts, zu dem es sich bekennen ließe. Nichts, das sich aneignen oder einüben ließe. Es gibt nur *eine* einmalige Gelegenheit und eine unlösbare Aufgabe. Nichts an der alten Geschichte gibt Aufschluss darüber, was einen Gileaditer sonst ausmachen könnte. Keine religiösen oder kulturellen Überzeugungen, keine rituellen Gewohnheiten oder Praktiken, nichts wird erwähnt, was ihre Lebenswelt und Gemeinschaft bestimmen könnte. Es werden auch keine Gründe angeführt, warum die Ephraimiter unpassend, nicht integrierbar oder gar gefährlich sein sollten. Es ist ein so willkürliches wie unüberwindbares Merkmal der Differenz, das mit dem Wort Schibboleth gewählt wurde – und durch das Menschen nicht nur als Andere, sondern als Feinde herabgesetzt oder verletzt werden dürfen.

Die alte Geschichte vom Schibboleth ist auch heute noch aktuell, denn sie erzählt von all den willkürlichen Weisen, durch die Gesellschaften einzelne Menschen oder Gruppen abwehren und abwerten können. Sie lässt sich übertragen auf die Mechanismen anti-liberalen oder fanatischen Denkens, das exklusive Normen und Codes erfindet, die vorgeblich die einzig richtige Form des Glaubens, die einzig berechtigte Zugehörigkeit zu einer Kultur, zu einer Nation, zu einer sozialen Ordnung definieren und diese mit einer Legitimation zur Gewalt gegen alles davon Abweichende ausstatten. Die Codes mögen sich unterscheiden wie auch die Folgen der Ausgrenzung, aber die Techniken des Ein- und Ausschließens ähneln sich. Welche Normen, welche Trennlinien in einer Erzählung verdichtet werden, um »uns« von den »Anderen« abzusetzen, ob damit soziale Anerkennung beschränkt oder gar Bürgerrechte beschnitten werden, das variiert. Manchmal stigmatisieren diese Schibboleths »nur«. Manchmal rechtfertigen oder initiieren sie gar Gewalt.

Nun ist per se nichts Problematisches daran, Praktiken und Überzeugungen zu finden, die eine soziale oder kulturelle Gemeinschaft ausmachen. Natürlich stellen private Gruppen oder Organisationen ihre eigenen Zugangsregeln auf. Und so definieren auch religiöse Gemeinschaften bestimmte Rituale und Glaubenssätze, die die Besonderheit der eigenen Religion auszeichnen sollen. Dazu gehört für manche das Einhalten festgelegter Ruhetage, für andere Kleidungsvorschriften, für manche ist das ritualisierte Beten so elementar wie das barmherzige Almosenspenden, manche glauben an die Dreifaltigkeit, andere an die Reinkarnation. Natürlich definieren diese Praktiken oder Überzeugungen auch Trennlinien zwischen denen, die dazugehören (wollen), und denen, die nicht dazugehören (wollen). So möchten und können sich Protestanten von Katholiken unterscheiden oder die Anhänger des Mahayana von denen des Theravada. Das ist völlig legitim. Allerdings sind all diese Bestimmungen intern umstrittener und über die historische Zeit (und verschiedene Generationen) fragiler, als gern zugegeben wird. Aber vor allem sind diese Gemeinschaften potentiell offen für diejenigen, die sich ihnen zuwenden wollen. Sie erfinden und tradieren Narrative, die Schwellen des Eintritts und des Übergangs erlauben. Und aus den Unterschieden zu anderen Gemeinschaften folgt nicht automatisch eine Ermächtigung zur Gewalt.[2]

Was mich hier hingegen interessiert, sind jene Erzählungen, in denen soziale, kulturelle, körperliche Codes erfunden werden, die vorgeblich einen demokratischen Staat, eine Nation, eine soziale Ordnung charakterisieren und zugleich einzelne Menschen oder ganze Gruppen für »fremd« oder *feindlich* erklären und sie aus einer Rechtsgemeinschaft ausschließen.

Mich interessieren die gegenwärtig zu beobachtenden Dynamiken der Radikalisierung von Weltbildern oder Ideologien, die wiederkehrenden Motive und Begriffe, mit denen soziale Bewegungen oder politische Akteure ihre zunehmend fanatischen Positionen (und mitunter auch ihre Gewalt) zu begründen versuchen. Mich beschäftigen die Strategien der Konstruktion der »echten« Nation, Kultur, Gemeinschaft – und der »unechten« Anderen, die abgewertet oder angegriffen werden dürfen.

»Die Verschiedenheit verkommt zur Ungleichheit, die Gleichheit zur Identität«, schreibt Tzvetan Todorow in *Die Eroberung Amerikas*, »dies sind die beiden großen Figuren, die den Raum der Beziehung zum Anderen unentrinnbar eingrenzen.«[3]

Todorow erfasst das anti-liberale Moment sehr genau – wie optische oder religiöse oder sexuelle oder kulturelle Verschiedenheiten zwischen Menschen nicht einfach das bleiben: *Verschiedenheiten* zwischen Menschen oder Gruppen. Sondern wie aus der Verschiedenheit *soziale oder rechtliche Ungleichheit* abgeleitet wird. Wie diejenigen, die auch nur im geringsten Maße abweichen von einem selbst oder einer als Norm verstandenen Mehrheit, nicht nur einfach als »anders«, sondern wie sie auf einmal als »falsch« wahrgenommen und damit zu Schutzlosen deklariert werden. Wie nur die eine absolute Gleichheit einer Identität zählen soll – und alles andere angeblich ausgeschlossen und abgelehnt gehört.

Was sind das für Konstellationen in der Gegenwart, in denen
zufällige oder angeborene Unterschiede ausgesucht werden,
um daran soziale Anerkennung oder gar Menschen- und Bürgerrechte zu koppeln? Was geschieht, wenn soziale Bewegungen oder politische Gemeinschaften Kriterien für Gleichbe-
handlung in einem demokratischen Staat festlegen wollen, die
nur ein *bestimmter* Ausschnitt der Bürger einer Gesellschaft,
nur Menschen mit einem bestimmten Körper, einer bestimmten Art zu glauben oder zu lieben oder zu sprechen, erfüllen.
Und wenn durch diese Merkmale ausgemacht sein soll, wem
volle Menschen- oder Bürgerrechte zugestanden werden und
wer missachtet und misshandelt, vertrieben oder getötet werden darf?

Um es an surrealen Beispielen zu illustrieren: Wenn in der
Bundesrepublik nur Linkshändern das Recht auf Meinungs-
äußerung zugestanden würde, wenn nur Personen mit abso-
lutem Gehör eine Schreiner-Lehre absolvieren dürften, wenn
nur Frauen vor Gericht als Zeuginnen zugelassen wären,
wenn an öffentlichen Schulen nur jüdische Feiertage gelten
würden, wenn nur homosexuelle Paare Kinder adoptieren
dürften, wenn Menschen, die stottern, der Zugang zu öffentlichen Schwimmbädern verweigert würde, wenn Schal-
ke-Fans das Recht auf Versammlungsfreiheit entzogen würde,
wenn nur Menschen mit einer Schuhgröße von über 45 in
den Polizeidienst aufgenommen würden – so lägen in jedem
einzelnen Fall willkürliche Codes vor, die über soziale Aner-

kennung, Freiheitsrechte und Zugang zu Chancen und Positionen entscheiden. Es wäre leicht zu erkennen, dass die jeweiligen Kriterien für Zugehörigkeit oder Zugang irrelevant sind für die Fähigkeiten, derer es bedarf, um ein bestimmtes Amt auszuüben, eine Aufgabe zu übernehmen – oder grundsätzlich irrelevant sind für das Recht, ein freies, selbstbestimmtes Leben zu leben.

Viele der gängigen Diskriminierungen und Ausgrenzungen sind nicht weniger willkürlich und absurd als die in diesen Beispielen angeführten. Die Erzählungen, in denen sie vermittelt werden (oder die Gesetze, in die sie eingeschrieben sind), verfügen nur schon über eine so lange Tradition, die darin enthaltenen Schibboleths wurden schon so oft wiederholt, dass sie in ihrer Fragwürdigkeit nicht mehr auffallen. Die Normen, die einschließen und ausschließen, brauchen nur sehr alt zu sein, damit sie im toten Winkel der sozialen Wahrnehmung verschwinden. Andere Trennlinien, die »Einheimische« von »Fremden«, »richtige« von »falschen« Familien, »echte« Frauen von »unechten«, »authentische Europäerinnen und Europäer« von »inauthentischen Europäerinnen und Europäern«, »richtige Briten« von »falschen Briten«, eben ein »Wir« von einem »Anderen« scheiden, sind neu oder werden erst in letzter Zeit mit solcher Lautstärke in der Öffentlichkeit gefordert.[4]

Es lohnt sich, diese Mechanismen der Inklusion oder Exklusion in der Gegenwart anzuschauen: mit welchen Geschichten, welchen Losungsworten Menschen sortiert und bewertet werden. Wer dazugehören darf und wer nicht, wer eingeschlossen und wer ausgeschlossen, wem Macht zugedacht und wem Ohnmacht zugeordnet wird, wem Menschenrechte zuerkannt oder abgesprochen werden, das gehört vorbereitet und begründet in Dispositiven aus Gesagtem und Ungesagtem, in Gesten und Gesetzen, administrativen Vorgaben oder ästhetischen Setzungen, in Filmen und Bildern. Durch sie werden bestimmte Personen als akzeptabel, zugehörig, wertvoll und andere als minderwertig, fremd und feindlich beurteilt.

*

Besonders gern behaupten heutzutage bestimmte politische Bewegungen die eigene Identität als *homogen,* als *ursprünglich* (oder *natürlich*) oder als *rein.* Ob es eine Nation ist oder eine Region, die mit besonderer Autorität ausgestattet, ob es eine religiöse Gemeinschaft ist, die mit höherer Legitimität versehen werden soll, oder ein Volk, das exklusive Rechte für sich beanspruchen will – mindestens eines der Elemente *homogen, ursprünglich* oder *rein* taucht gewiss in der Selbstbeschreibung des beschworenen »Wir« auf (ob es die »ursprünglichen« Briten sind, die sich gegen die osteuropäischen Migrantinnen und Migranten abgrenzen wollen, die PEGIDA-Anhänger, die das »reine« Abendland gegen Muslime verteidigen wollen). Oft auch alle drei. Sie lassen sich in den unterschiedlichsten Bewegungen oder Gemeinschaften wiederfinden, und sie verweisen auf das illiberale Potential solcher Identitätspolitik. Sezessionistische Bewegungen, nationalistische Parteien oder pseudo-religiöse Fundamentalisten mögen sich gravierend in ihrer politischen Selbstverortung oder ihren Ambitionen unterscheiden, sie mögen auch verschiedene Handlungsstrategien (oder Gewalt) befürworten, aber sie alle treibt doch eine ähnliche Vorstellung von einer homogenen, ursprünglichen oder reinen Gemeinschaft um.

Homogen

»Lange bevor die Sprache die Welt zerschneidet
und ordnet, schmiedet sich der menschliche Geist
ein Ordnungssystem aus Kategorien zurecht.«
Aleida Assmann, Ähnlichkeit als Performanz

Fast alle nationalkonservativen oder rechtspopulistischen Parteien, die in Europa in lokalen oder nationalen Wahlen erfolgreich waren, die »Freiheitspartei« in den Niederlanden (2012: 10,1 %), der »Front National« in Frankreich (2012: 13,6 %), die »FPÖ« in Österreich (2013: 20,5 %), »Fidesz« in Ungarn (2014: 44,9 % – Regierungsführung), »Ukip« in Großbritannien (2015: 12,6 %), die »Schwedendemokraten« in Schweden (2015: 12,9 %), die Partei »Wahre Finnen« in Finnland (2015: 17,7 % – Regierungsbeteiligung), die »Dänische Volkspartei« in Dänemark (2015: 21,2 % – Regierungsbeteiligung), die »Schweizerische Volkspartei« in der Schweiz (2015: 29,4 % – Regierungsbeteiligung) und die »PiS – Recht und Gerechtigkeit« in Polen (2015: 37,6 % – Regierungsführung), argumentieren mit der (Wunsch-)Vorstellung einer kulturell oder religiös *homogenen* Nation oder wahlweise eines *homogenen* Volks.

Der Rekurs auf den Begriff des »Volks« ist erst einmal viel-
deutig. Was ist damit gemeint? Wer soll das sein: »das Volk«?
Manche politischen Bewegungen, die sich auf »das Volk« berufen, verbinden damit keineswegs antidemokratische oder
exklusive, sondern emanzipatorische und inklusive Absich-
ten. Sie artikulieren eher den Satz »Wir sind *auch* das Volk«.
Sie fühlen sich ganz oder teilweise durch politische Praktiken
oder Gesetze ausgeschlossen, die sie zwar betreffen, sie aber
nicht ausreichend in die Entscheidungsfindungsprozesse mit
einbeziehen. Sie fühlen sich nicht nur politisch, sondern auch
medial nicht ausreichend repräsentiert. Viele soziale und politische Bewegungen (ganz gleich, ob sie sich eher links oder
eher rechts verorten) kritisieren in der parlamentarischen
Demokratie ihrer Staaten oder in der Europäischen Union
fehlende Bürgerbeteiligung, sie bemängeln nicht ausreichende
Rückbindung politischer Entscheidungen an öffentliche (also
transparente) Willensbildungsprozesse und beklagen Legiti-
mationsdefizite auf der Ebene der politischen Konstruktion
(der EU). In dieser Kritik appellieren sie an das republikani-
sche Versprechen der Volkssouveränität.

In der Tradition Jean Bodins und Jean-Jacques Rousseaus ist
»das Volk« als eine Gemeinschaft aus Freien und Gleichen
gedacht und mit einer Souveränität ausgestattet, die es nicht
abtreten kann. In dieser Konzeption von Volkssouveränität
geht die gesetzgebende Gewalt direkt von den selbstbestimm-
ten Bürgern und nicht von deren Repräsentanten aus. Hier

wird noch ein tatsächlich anwesendes Volk vorgestellt, das über sein eigenes Geschick verhandeln und entscheiden kann. Dazu bedarf es politischer Willensbildungsprozesse, die – als dauernd sich erneuernder Gründungsakt – das politische Gemeinwesen eigentlich erst schaffen. In dieser republikanischen Tradition ist das Volk also nicht unbedingt etwas Gegebenes, sondern etwas, das sich durch die Auseinandersetzung miteinander entwickelt und in einem Gesellschaftsvertrag erst konstituiert.[5]

*

Allerdings war auch dieses Modell eines Volks aus Freien und Gleichen historisch eine Fiktion. Nie galten wirklich *alle* Menschen als Freie und Gleiche. Oder um es deutlicher zu sagen: Nie galten alle Menschen als Menschen. Zwar ersetzten die französischen Revolutionäre mit dem souveränen Volk die Leerstelle des Monarchen, aber der Entwurf der demokratischen Gesellschaft war eben leider nie so inklusiv wie behauptet. Frauen und sogenannte »Fremde« blieben von den bürgerlichen Rechten so selbstverständlich ausgeschlossen, dass es kaum einer expliziten Begründung bedurfte. Auch das demokratische Volk und die Nation, die gerade mit den Privilegien der alten Stände abrechnen wollte, konnte sich letztlich nur durch Distinktion von einem Anderen formieren.

Das zeigt sich nicht zuletzt in der Sprache, in der diese Idee des souveränen Volks und die Geschichte des Gesellschaftsvertrags der Freien und Gleichen erzählt wird: Früh wird die politische Ordnung in Begriffen der *Körperlichkeit* beschrieben. Was als demokratischer Wille von allen (also allen autonomen Individuen) gedacht war, verwandelt sich unversehens in den Willen des Ganzen (also eines unbestimmten Kollektivs).[6] Aus einer Vielfalt singulärer Stimmen und Perspektiven, die in der Auseinandersetzung miteinander gemeinsame Positionen und Überzeugungen erst ermitteln und aushandeln müssen, wird die homogene Einheit des Ganzen. Das sprachliche Bild der Gesellschaft als *Körperschaft* legt dabei Assoziationen nahe, die politisch folgenreich sind: Ein Körper ist fest und abgeschlossen. Einen Körper umgibt eine Haut, die ihn begrenzt. Ein Körper ist anfällig für Krankheiten, die durch Keime und Bakterien ausgelöst werden. Ein Körper muss gesund und geschützt sein vor Epidemien. Vor allem aber ist ein Körper ein einheitliches Ganzes.

Diese Biologisierung der politischen Sprache (und damit auch der politischen Phantasie) befördert und verbindet sich mit Vorstellungen von Hygiene, die aus dem Kontext der medizinischen Versorgung des menschlichen Körpers übertragen werden auf eine Gesellschaft: So wird kulturelle oder religiöse Vielfalt betrachtet, als gefährde sie die nationale Gesundheit eines homogenen Volkskörpers. Einmal in diesem Raster der biopolitischen Wahrnehmung gefangen, grassieren prompt auch Ängste vor Ansteckung durch das abweichende »Fremde«. Jede Andersartigkeit bleibt nicht nur anders, sondern affiziert und kontaminiert den gesunden, homogenen Körper der Nation. Es ist eine eigenwillig hypochondrische Identität, die mit dieser Denkfigur entsteht, denn sie fürchtet immer die Infizierung durch andere Praktiken und Überzeugungen. Als ob jede Andersartigkeit, jede Abweichung von der wie auch immer definierten nationalen Norm sich quasi durch kulturelle oder religiöse Tröpfcheninfektion epidemisch ausbreitete. Es spricht nicht gerade für ein besonders intaktes »kulturelles Immunsystem« (um in diesem Metaphernfeld zu bleiben), wenn jede Begegnung mit anderen Körpern gleich als Bedrohung gefürchtet und gemieden werden muss. Die biopolitische Phantasie des Volkskörpers, der gesund bleiben muss, befördert Ängste noch vor der geringsten Verschiedenheit.

Das erklärt, warum in der Gegenwart manche bereits eine religiöse Kopfbedeckung, ob Kippa oder Schleier, in ihrem Selbstverständnis verunsichert. Als würde allein der Anblick des Kopftuchs (eines *Hijab*) einer Muslima oder der Kippa eines Juden dazu führen, dass christliche Gläubige sich als Christen auflösten. Als ob so ein Kopftuch wanderte: vom Kopf derjenigen, die es trägt, hinüber zu denen, die es anschauen. Das wäre witzig, wenn es nicht so absurd wäre. Während die eine Argumentationslinie gegen das Kopftuch noch behauptet, der Schleier unterdrücke *per se* die Frau (und damit unterstellt, es könne keine Frau je freiwillig ein Kopftuch tragen wollen) und gehöre deswegen verboten, sehen andere *sich selbst* und die säkulare Gesellschaft durch das Kopftuch bedroht.[7] Als würde das Stück Stoff nicht nur die belasten, die es tragen, sondern auch die, die es aus der Ferne anschauen. Dabei verkennen beide Einwände, dass die vermutete Unterdrückung nicht von einem Kopftuch an sich ausgehen kann, sondern nur von jenen Personen oder Strukturen, die eine Frau nötigen und ihr gegen ihren Wunsch eine bestimmte Praxis aufdrängen. Insofern können beide Anordnungen gleichermaßen zwanghaft daherkommen: der aus einem patriarchal-religiösen Milieu formulierte Befehl, ein Kopftuch zu tragen, ebenso wie der aus einem paternalistisch-antireligiösen Milieu formulierte Befehl, *keins* zu tragen.

Eine säkulare Gesellschaft, die das Recht auf freie Religionsausübung garantiert und gleichzeitig die Rechte von Mädchen und Frauen schützen und fördern will, sollte sich vielmehr immer daran orientieren, die Selbstbestimmung der Frauen ernst zu nehmen. Und das heißt eben auch: anzuerkennen, dass es Frauen geben kann, die sich eine (wie auch immer ausgestaltete) fromme Lebensweise oder eine bestimmte Praxis *wünschen*. Es steht anderen nicht zu, im Falle des Kopftuchs, diesen Wunsch *per se* für irrational, undemokratisch, widersinnig oder unmöglich zu erklären. Dieser Wunsch verdient ebensolchen Respekt, ebensolchen Schutz, wie der Wunsch, sich *gegen* eine so verstandene Frömmigkeit (oder Praxis) und damit womöglich gegen die eigene traditionell-religiöse Familie zu stellen. Die subjektiven Rechte von beiden Entscheidungen und Lebens-Entwürfen sollten in den liberalen Gesellschaften Europas die gleiche Achtung verdienen. Etwas komplizierter ist es dagegen beim Tragen des Kopftuchs im Öffentlichen Dienst, weil hier die Grundrechte der Einzelnen aus Art. 4 Abs. 1 und 2 des Grundgesetzes, wonach die Freiheit, Glauben, Gewissen, Religion und Weltanschauung auszuüben, geschützt wird, und die Verpflichtung des Staates zu religiös-weltanschaulicher Neutralität in möglichen Widerspruch geraten. Diese Frage unterscheidet sich allerdings nicht von der, die das Tragen von christlichen Kreuzen um den Hals in Klassenzimmern aufwirft.[8]

Warum aber sollten Kopfbedeckungen jenseits davon so nervös machen? Schließlich zeigen diese kulturellen oder religiösen Symbole lediglich an: dass auch Menschen existieren, die anders glauben. Ist das der Grund, warum sie so irritieren? Weil sich die Vielfalt weniger leugnen lässt, wenn sie auch in der Öffentlichkeit sichtbar wird? Solange diejenigen, die von der vorgegebenen Norm der Nation abweichen, nicht mehr nur im Verborgenen und im Stillen existieren, sondern wenn sie im Alltag sicht- und hörbar werden: Wenn sie in Filmen auftauchen (nicht als problematisiertes Sonderthema, sondern ganz selbstverständlich als Haupt- oder Nebenfiguren), wenn sie in Schulbüchern beschrieben werden als *ein* Beispiel für *eine* Form zu glauben oder zu lieben oder auszusehen, wenn andere Toiletten eingerichtet werden und damit deutlich wird, dass die bisherigen Konstruktionen nicht verallgemeinerbar waren (weil es eben nicht für alle gleich angenehm war, sie zu benutzen) – dann wird der imaginäre Volkskörper nicht bedroht. Es tritt lediglich die normale Vielfalt einer modernen Gesellschaft heraus aus der Unsichtbarkeit im Schatten der Norm.

Etwas anderes ist es, wenn Menschenrechtsverletzungen als vermeintlich religiös gebotene Praktiken verklärt werden sollen. Bei solcher Art Konflikten muss der Rechtsstaat die Rechte der Einzelnen gegen die Ansprüche eines religiösen Kollektivs oder auch gegenüber der Familie der Betroffenen durchsetzen: bei der furchtbaren Praxis der Klitorisbeschneidungen oder auch bei Kinderehen ist ein solches Eingreifen des Staates – im Namen des Grundgesetzes – nicht nur gestattet, sondern auch erforderlich. Ein kulturelles Gewohnheitsrecht kann und darf nicht die Menschenrechte aushebeln.

*

Die politischen und sozialen Akteure, die in Europa gegenwärtig wieder an das »Volk« und die »Nation« appellieren, führen den Begriff ausdrücklich eng: das »Volk« wird nicht als *demos* aufgefasst, sondern meistens als *ethnos*, als Angehörige eines Clans mit (mindestens behaupteter) gemeinsamer Herkunft,

Sprache und Kultur. Jene Parteien und Bewegungen, die von einem *homogenen* Volk oder einer *homogenen* Nation träumen, wollen die Idee einer (supra-nationalen oder nationalen) Rechtsgemeinschaft aus Freien und Gleichen geradewegs »rückabwickeln«.[9] Sie wollen die Gesellschaft nicht durch horizontale, sondern vertikale Achsen verbunden sehen: Die ethnische und religiöse Herkunft sollen die Zugehörigkeit zum Wir bestimmen – und nicht das gemeinsame Handeln, nicht der gemeinsame Bezug auf eine Verfassung, nicht die offenen Prozesse einer deliberativen Demokratie. Das Recht auf Teilnahme wird vererbt. Und wer es nicht erben konnte, weil die eigenen Eltern oder Großeltern erst eingewandert sind, dem werden besondere Leistungen, besondere Bekenntnisse, besondere Anpassungen an Normen abverlangt, die für andere nicht oder nicht so gelten.

Warum eine homogene Kultur oder Nation für einen modernen Staat *grundsätzlich* besser sein sollte als eine heterogene, wird selten begründet. Dabei könnte durchaus interessant sein, ob eine religiös einheitliche Gesellschaft erfolgreicher wirtschaftet, ob eine kulturell einheitliche Gesellschaft ökologische Krisen leichter bewältigt, ob sie weniger soziale Ungerechtigkeit zwischen ihren Angehörigen produziert, ob sie sich als politisch stabilere Ordnung erweist oder ob sich die Mitglieder auch nur wechselseitig mehr respektieren – die Argumente dafür wären ja wichtig. Oft ist dagegen die »Begründung« für das homogene Wir schlicht tautologisch: Eine ho-

mogene Nation sei besser, weil sie homogen sei.[10] Manchmal
wird auch argumentiert, die eigene Mehrheit würde bald eine
Minderheit sein, die Ausgrenzung der Anderen sei gleichsam
nur kulturelle oder religiöse Präventionsarbeit. Die Slogans
der NPD und inzwischen auch der AfD, aber auch die von
»Ukip« in England oder dem »Front National« in Frankreich,
arbeiten mit diesem Szenario: Die Nation würde nicht einfach
nur dynamisch und heterogen, sondern sie würde »verklei-
nert«, »unterdrückt« oder »ersetzt« durch die, die nach bio-
logistischen, rassistischen Begriffen als »Andere« klassifiziert
werden. Aber darin verbirgt sich immer noch kein Argument,
warum Homogenität so bedeutsam sein sollte. Es unterstellt
lediglich den vermeintlich »Anderen« die eigene Missachtung
für Vielfalt und Hybridität.

Viel kurioser an dieser Vorstellung einer kulturell oder religiös homogenen Nation in einem modernen Staat, wie sie zur
Zeit wieder herbeigesehnt wird, ist, wie ahistorisch und kon-
tra-faktisch sie ist. Die angeblich homogene Ur-Zelle einer
Nation, in der alle »Einheimische« sind, in der es keine Zuge-
zogenen gibt, keine Vielsprachigkeit, keine unterschiedlichen
Bräuche oder Traditionen und keine verschiedenen Konfes-
sionen – wann soll es das zuletzt in einem Nationalstaat gegeben haben? Wo? Diese organische Einheitlichkeit, die der
»Nation« da unterstellt wird, ist eine überaus wirkungsmächtige, aber phantasievolle Konstruktion.[11] Was immer als Nation erwünscht und gefeiert wird, entspricht kaum je einer

gegebenen Gemeinschaft, sondern ist immer die Herstellung des Bildes einer Nation – und der anschließenden Annäherung (und Transformation) einer Gesellschaft an dieses Bild. Es gibt in diesem Sinne kein Original, sondern alles ist immer nur der Beschluss, ein vermeintliches Original zu erfinden, auf das man sich verständigt und dem es zu ähneln gilt.

Wie Benedict Anderson in seinem berühmten Buch *Imagined Communities* erläutert hat, sind alle Gemeinschaften jenseits archaischer Dörfer letztlich »vorgestellte Gemeinschaften«. Auch die Mitglieder einer jeden modernen Nation teilen faktisch weitaus weniger gemeinsame ethnische oder kulturelle Bezüge (wie Sprache, Herkunft, Religion) als vielmehr die Phantasie der gemeinsamen Zugehörigkeit. »Sie ist vorgestellt, weil sogar die Bürger der kleinsten Nation niemals die Mehrheit ihrer Mitbürger kennen, treffen oder von ihnen hören werden und dennoch in ihrem Bewusstsein das Bild einer Gemeinschaft lebendig ist.«[12]

Die national-konservativen und nationalistischen Parteien in Europa behaupten dagegen eine *Eindeutigkeit* der eigenen Tradition, die alles begradigen muss, was eher von den Brüchen, den Ambivalenzen, der Vielstimmigkeit der eigenen Geschichte erzählt. Das ist einer der Gründe, warum die politischen Akteure mit einer nationalistischen Agenda in Europa sich besonders für die Geschichtsinstitute, die Museen, die Kulturinstitutionen, die Bildungseinrichtungen und

Schulbücher ihrer Staaten interessieren: Weil ihnen all jene Stimmen und Perspektiven unbehaglich sind, die ihrer Konstruktion einer homogenen Nation oder eines homogenen Volkes widersprechen. Insofern wundert es nicht, dass die Regierungspartei in Polen, PiS, solchen Wert auf Feierlichkeiten wie das »Jubiläum der Christianisierung Polens« legt oder in Ungarn nicht nur versucht wird, die unabhängigen Medien mit Gesetzen in ihrer Arbeit einzuschränken, sondern bei der Posten-Vergabe in Kultureinrichtungen wie Theatern vor allem jene Kandidaten durchzusetzen, die mit ihren künstlerischen Produktionen das neo-nationalistische Narrativ nicht in Frage stellen. Auch die AfD adressiert in ihrem Parteiprogramm ausdrücklich die Kulturinstitutionen als Instrumente eines substantiell aufgeladenen Begriffs nationaler Identität.

Aber die Homogenität des deutschen Volks oder der deutschen Nation, der sich AfD oder PEGIDA verpflichtet fühlen, gibt es nicht. Sie lässt sich nur herstellen durch Ausgrenzung aller als vermeintlich »un-deutsch« oder »nicht-abendländisch« Deklarierten. So wird mit diversen Schibboleths gearbeitet, um die Trennlinien einzuziehen, die »echte« Deutsche von »unechten« Deutschen unterscheiden sollen. Zu diesem Zweck ist nichts zu kleinteilig oder zu absurd. Bei einer Demonstration von PEGIDA in Dresden spazierte ein Teilnehmer mit einem Stab durch die Straßen, auf dem ein kleines, rosafarbenes Spielzeugferkel thronte. Ein anderer trug eine

wollene Schweinskopfmütze. Ein Schweinchen als Gallions-
figur des Abendlandes? Darauf schrumpft die kulturell-ideo-
logische Ambition zusammen? Nichts gegen Schweine, aber
wenn tatsächlich der Verzehr von Schweinefleisch ein entscheidendes Merkmal abendländischer Identität sein soll,
dann ist doch Sorge um das Abendland angebracht. Das
Herumtragen von Spielzeugferkelchen auf Demonstrationen
ist im Übrigen noch ein harmloses Beispiel: An vielen Orten
in der Bundesrepublik, an denen Moscheen stehen oder er-
richtet werden sollen, wurden in den vergangenen Monaten
abgeschnittene Schweineköpfe deponiert. Dabei ist dieser
neue Fetisch Schweinefleisch nicht nur ein Schibboleth, mit
dem Muslime gegängelt und beleidigt werden sollen, sondern natürlich auch ein traditioneller Topos des Antisemitismus.

Die Episode um die Gesichter auf den Kinderschokola-
den-Verpackungen im Mai 2016 illustriert vielleicht noch
deutlicher, was für eine Sorte völkischer Nation hier imaginiert wird: eine, die sich nur rassistisch als eine Gemeinschaft aus Weißen und Christen gespiegelt sehen will.[13] Als
vor der Fußball-Europameisterschaft in Frankreich die Firma
Ferrero anstelle des bekannten blonden Jungen die Kinder-
bilder der Fußball-Nationalspieler auf der Kinderschokolade
präsentierte – darunter Ilkay Gündoğan, Sami Khedira und
Jérôme Boateng –, protestierte ein PEGIDA-Ableger aus Ba-
den-Württemberg gegen diese Aktion. Als Werbeträger sollten

schwarze Deutsche ebenso wenig sichtbar werden wie muslimische Deutsche, weil sie das konstruierte Bild der homogenen Nation, des »reinen« Volks irritieren.

Die Abneigung gegen eine heterogene Gesellschaft, ein
Volk aus freien und gleichen Staatsbürgerinnen und Staats-
bürgern, die sich ein Grundgesetz und eine demokratische
Praxis teilen, artikulieren nicht nur die politischen Akteure
von PEGIDA oder der AfD. Auch der ausgesprochene und
wieder vergessene oder auch nur ihm zugeschriebene Satz
des Stellvertretenden Vorsitzenden der AfD, Alexander Gauland, »die Leute« schätzten den Fußballer Boateng, aber sie
wollten ihn »nicht als Nachbarn« haben (der übrigens nicht
Boateng »beleidigte«, wie suggeriert wurde, denn über diesen
wird in dem Satz ja gar nichts gesagt, sondern die sogenannten »Leute«, denen zugeschrieben wurde, sie lehnten einen
schwarzen Nachbarn ab), beschrieb ja keineswegs unzutref-
fend einen Alltags-Rassismus in der Bundesrepublik, der sich
in Studien auch empirisch belegen und quantifizieren lässt.[14]
Der Aussage »Menschen mit dunkler Hautfarbe passen nicht
nach Deutschland« stimmten in einer (allerdings etwas älte-
ren) repräsentativen Umfrage 26 % der Befragten zu. Insofern
hätte der Satz von Alexander Gauland durchaus eine kritische
Analyse der rassistischen Einstellungen beabsichtigen können.
An dem praktisch kontextlosen Zitat ist das nicht abzulesen.
Es lässt sich allerdings vermuten, dass es Alexander Gauland
weniger um ein Hinterfragen von Ressentiments und Vorur-

teilen ging, als darum, sie zu schützen und als vermeintlich ernstzunehmende Sorgen zu legitimieren.

Wenige Tage später kommentierte Alexander Gauland dann im SPIEGEL die Reise des gläubigen Nationalspielers Mesut Özil nach Mekka. »Da mich Fußball nicht interessiert, ist mir relativ egal, wo Herr Özil hinwandert. Aber bei Beamten, Lehrern, Politikern und Entscheidungsträgern würde ich sehr wohl die Frage stellen: ist jemand, der nach Mekka geht, in einer deutschen Demokratie richtig aufgehoben?« Auf Nachfrage erläutert der stellvertretende AfD-Vorsitzende seine Position: »Ich muss fragen dürfen, wo die Loyalität dieses Menschen liegt. Liegt sie beim deutschen Grundgesetz? Oder liegt sie beim Islam, der ein politischer Islam ist? Und will er, wenn er um die Kaaba wandert, zeigen, dass er diesem politischen Islam nahesteht? Aber Fußballer wie Herr Özil sind für mich keine Entscheidungsträger.«[15]

Zunächst einmal erstaunt, wie oft Alexander Gauland betont, dass ihn Fußball nicht interessiere. Das ist legitim. Aber es spielt für seine Argumentationslinie/n keine Rolle. Wenn, wie Gauland insinuiert, der Islam und die Demokratie miteinander unvereinbar seien, dann müsste ein gläubiger Muslim, ganz gleich ob Fußballspieler oder Richter am Oberverwaltungsgericht, gleichermaßen problematisch sein. Mit Blick auf die Prominenz eines Nationalspielers sollte sich Herr Gauland im Übrigen mehr um den Einfluss des

Fußballers sorgen als um den eines Beamten. Aber gut. Das Problem an Gaulands Position besteht darin, dass sie nicht Mesut Özils Loyalität in Frage stellt, sondern Gaulands. Denn er ist es, dessen Aussagen nicht mit dem Grundgesetz in Einklang stehen. Alle Staatsbürger dürfen ihre Religion frei ausleben, und dazu gehören Pilgerreisen auf dem Jakobsweg wie solche nach Mekka. Das weiß auch Alexander Gauland. Deswegen muss er gleichzeitig bezweifeln, dass Muslime einer Glaubensgemeinschaft angehören, ja, er muss dem Islam absprechen, eine Religion zu sein. Zum »Beleg« für seine These zitiert Gauland ausgerechnet Ayatollah Khomenei mit der Aussage: der Islam sei politisch. Das ist ungefähr so, als würde der RAF-Mitbegründer Andreas Baader zitiert werden als Quelle für die richtige Definition von Demokratie. Nicht die Verfassungstreue von Mesut Özil steht in Frage, sondern die von Alexander Gauland. Mesut Özil bezweifelt nicht, dass jemand, der christlich glaubt oder gar nicht glaubt, in einer säkularen Demokratie gut aufgehoben ist und die gleichen Rechte und den gleichen Schutz des Staates verdient. Mesut Özil praktiziert seinen Glauben – ohne die anderen Praktiken und Überzeugungen von anderen Menschen als illoyal oder undemokratisch abzuqualifizieren.

Besondere Kapriolen schlug die Debatte schließlich, als Frauke Petry einerseits Mesut Özil vorwarf, seine Pilgerreise auch durch sein Foto auf Twitter öffentlich gemacht zu haben (als sei Glaube etwas, das nur heimlich gelebt werden darf), um ihm dann wiederum vorzuwerfen, er lebe nicht »nach den Regeln der Sharia«, denn die Frauen an seiner Seite seien unverschleiert. Es ist ein wenig unklar, was Mesut Özil eigentlich vorgehalten wird: dass er ein gläubiger Muslim ist oder dass er kein gläubiger Muslim ist. In jedem Fall wird deutlich, dass es die AfD ist, die nicht nur definieren will, was eine Demokratie ausmacht (entgegen den grundgesetzlichen Bestimmungen), sondern auch, was einen Muslim ausmacht. Dabei entspricht offenbar nur ein fundamentalistischer Islamist der AfD-Vorstellung von einem Muslim. Ein offener, toleranter gläubiger Mensch, der sich – wie die meisten Gläubigen anderer Religionen auch – an bestimmte Regeln hält, andere wiederum mal befolgt und mal nicht und wieder andere schlicht für altmodisch oder unpraktisch hält – der kann für Frauke Petry kein Muslim sein.

*

Ursprünglich / Natürlich

»Niemand sagt dir, dass es daran liegt, dass Du bist, was Du bist.«
Cato, in: Sasha Marianna Salzmann, Meteoriten

Der vermeintlich höhere Status eines Wir wird auch gern ein-
gebettet in eine Erzählung, die einen Gründungsmythos behauptet: Die eigene Überzeugung oder Identität sei deswegen
besser, wichtiger, wertvoller als andere, weil sie sich auf eine
Art ursprüngliche Ideologie oder natürliche Ordnung berufen
könne. Es ist häufig eine rückwärtsgewandte Geschichte, die
über die Tradition der Familie oder die eigene Lebensform
erzählt wird. In der Vergangenheit, als die Gesellschaft angeblich noch »rein« war, als alle vermeintlich dieselben Werte
teilten, als dieselben Konventionen herrschten, in diesem
imaginierten Früher sei alles »wahrer«, »echter«, »richtiger«
gewesen. Die Gegenwart wird vor diesem Hintergrund gern
als »verkommen« oder »korrumpiert« oder »krank« bezeichnet. Einzelne Personen, einzelne Handlungen oder Positionen werden daran gemessen, inwiefern sie als ursprünglich
behaupteten Idealen möglichst »authentisch« entsprechen.

Das Schibboleth, das hier eingezogen wird, um Menschen abzuwerten, markiert einzelne Eigenschaften, bestimmte Körper oder ganze Lebensformen als »unnatürlich« oder »unecht«. Das soll heißen: Etwas (ein Mensch, ein Konzept, eine Ordnung) ist nicht so, wie es früher einmal war. Etwas wurde verändert. Etwas hat sich nicht an das gehalten, was es »ursprünglich« war. Etwas ist nicht mehr so wie die Natur es vorgesehen oder beabsichtigt hat. Etwas stellt die natürliche, soziale Ordnung in Frage. Je nach politischem oder ideologischem Kontext verbindet sich die Kritik an dem »Unnatürlichen« oder »nicht Ursprünglichen« mit dem Vorwurf der »Verwestlichung«, dem »Abfall vom richtigen Glauben«, der »Krankheit der Modernisierung«, der »Sündhaftigkeit« oder »Perversion«.[16]

Es sind meist dieselben Bezüge, in denen die Rhetorik des »Natürlichen« und »Ursprünglichen« besonders häufig auftaucht: bei der Frage, was als »echt« männlich oder »echt« weiblich zählt und wie Transpersonen oder intergeschlechtliche Menschen zu achten seien; was als »natürliche« Sexualität gewertet wird und wie schwule oder lesbische oder bisexuelle oder queere Menschen zu respektieren seien; und, nicht zuletzt, bei der Frage, was als »echte« Familie gilt und wie all jene Familien anzuerkennen seien, die jenseits der traditionell heterosexuellen Vater-Mutter-Kind-Konstellation existieren.[17]

Der Rekurs auf die »Natürlichkeit« des Geschlechts ist aus verschiedenen Gründen so historisch wirkungsmächtig wie folgenreich. Die Vorstellung der »natürlichen« Beschaffenheit der Geschlechter wird durch christliche Imagination tradiert und verknüpft sich mit der Vorstellung einer göttlichen Absicht. Dem so natürlich-göttlich Geschaffenen soll eine besondere Wertigkeit zukommen, die es zu etwas Unantastbarem macht. Das »natürliche«, das »ursprüngliche« Geschlecht kann und darf nicht als etwas anderes gedacht werden als die die »Normalität« definierende Norm. Alles andere, alles Veränderliche wird in dieser Logik als »unnatürlich« oder »ungesund«, als von Gott »nicht beabsichtigt« und damit als »unerwünscht« deklassierbar.

Eine der Strategien gegen die so sakralisierte »Normalität« der Geschlechter besteht deswegen darin, die Behauptung der Natürlichkeit des Geschlechts als ideologische Position zu entlarven.[18] Stattdessen wird die Bedeutung der sozialen und symbolischen Dimensionen bei der Formierung des Geschlechts betont. Aus der Argumentation der sozialen Konstruiertheit des Geschlechts ergeben sich wünschenswerte politische und normative Freiräume: Ist nämlich das Geschlecht, ist »Männlichkeit« oder »Weiblichkeit«, nicht einfach ein angeborenes, physisches Faktum, sondern vielmehr Folge sozialer und politischer Übereinkünfte, die unterschiedliche Existenzweisen bestimmen, dann leitet sich daraus keine grundsätzliche »Normalität« oder Wertigkeit ab.

Gleichwohl soll an dieser Stelle die Frage, ob das Geschlecht einer Person als »natürlich« gegeben oder als sozial konstruiert zu denken sei, zurückgestellt werden. Ich vernachlässige hier auch die Frage, ob sich die heterosexuelle Klein-Familie tatsächlich historisch »ursprünglicher« als andere Beziehungs- oder Lebensformen darstellt oder ob das nicht vielmehr eine bloße Fiktion ist. Das sind so wichtige wie anspruchsvolle Debatten, die ich hier nur unvollständig rekonstruieren könnte. Mich beschäftigt an dieser Stelle eine andere Argumentationslinie. Mich interessiert, was die Natürlichkeit (oder Ursprünglichkeit) eines Körpers, eines Begehrens, einer Lebensform mit der *sozialen oder rechtlichen Anerkennung* zu tun haben sollte. Das heißt: Woran genau glauben eigentlich diejenigen, die an die Kategorien der »Natürlichkeit« und »Ursprünglichkeit« glauben? Warum sollte sich in der nachmetaphysischen aufgeklärten Moderne aus der Tatsache, dass etwas in einer bestimmten Form erstmals in die Welt getreten ist, irgendein Rechtsanspruch oder irgendein höherer Status ableiten? Wie verkoppelt sich die Legitimation von Macht mit einer bestimmten Idee von ursprünglicher, natürlicher Ordnung?[19] Warum sollte in einem säkularen Staat etwas mehr oder weniger wert sein, mehr oder weniger Anerkennung erfahren, nur weil es vor 2000 (oder auch nur 20) Jahren so oder anders gewesen sein soll? Sieht das Grundgesetz tatsächlich vor, dass der Natur per se eine normative Bedeutung zukommt? In einer Ära der Cyborgs, der 3-D-Drucker, der biogenetischen und synthetischen Innovationen, der Reproduktions-Medizin, im Zeitalter des Anthropozän – was für ein Begriff der Natürlichkeit sollte da noch bestehen, an den Rechtsansprüche gekoppelt werden? Warum sollte einem veränderten oder uneindeutigen Körper weniger Würde, weniger Schönheit oder weniger Anerkennung zukommen?

*

Eine Transperson ist jemand, dessen oder deren Spektrum aus angeborenen, äußeren Geschlechtsmerkmalen, Chromosomen und Hormonen nicht dem entspricht, als was dieser Mensch sich empfindet. Das wäre eine Beschreibung. Eine andere wäre: Eine Transperson ist jemand, dessen oder deren zugewiesene Geschlechtszugehörigkeit nicht dem entspricht, als was dieser Mensch sich empfindet. In der einen Beschreibung spielen die angeborenen körperlichen Merkmale (oder die Chromosomen und Hormone) eine Rolle. In der anderen wird schon der Zusammenhang zwischen den körperlichen Merkmalen und der zugewiesenen Geschlechtszugehörigkeit als fragwürdig oder historisch kontingent gedacht.[20]

Für diejenigen, die sich in ihrem angeborenen Körper und in ihrer zugewiesenen Geschlechtsrolle richtig und aufgehoben fühlen, mag das schwer vorstellbar sein. Sie wenden sich gern ab oder lesen nicht weiter, wenn sie nur das Wort »Trans« hören oder ein Sternchen »*« oder einen Unterstrich »_« sehen – als verdienten Phänomene oder Menschen, die es seltener gibt, keine Aufmerksamkeit oder Wertschätzung. Als reichte die eigene Empathie nicht oder als sollte sie nicht reichen. Dabei ist es vielen bei den eher unwahrscheinlichen Figuren aus dem Kosmos von Shakespeare oder den Opern von Händel oder aus Manga-Comics ganz selbstverständlich, sich einzufühlen und ihre Geschichten verstehen zu wollen. Selten heißt schließlich nicht seltsam oder monströs. Selten heißt nur selten. Es sind womöglich nur Menschen, über die seltener Geschichten erzählt werden. Und es sind manchmal die Menschen mit besonderen, seltenen Eigenschaften oder Erfahrungen, in deren Sehnsüchten und Kämpfen um Anerkennung sich die Verletzbarkeit als *condition humaine* selbst spiegelt. Und so ist es gerade die Verwundbarkeit von Transpersonen, ihre Suche nach Sichtbarkeit und Anerkennung, in der sich jene wechselseitige Abhängigkeit zeigt, die uns *als Menschen* allgemein kennzeichnet. Insofern berührt und betrifft die Situation von Transpersonen alle. Nicht nur diejenigen, die so leben und empfinden wie sie. Die Rechte von Transpersonen sind so wichtig wie alle Menschenrechte, und sie zu begründen und zu verteidigen gehört zur Selbstverständlichkeit universalistischen Denkens.

*

Auf eine abgemilderte Weise kennen das vermutlich viele Menschen aus ganz unterschiedlichen Gründen: dass man sich nicht in allen Eigenschaften oder Merkmalen mit sich selbst identifizieren kann. Dass man sich innerlich als etwas anderes empfindet, als einem von außen angesehen, zugetraut oder erlaubt wird. Dass die Erwartungen und Zuschreibungen von außen die eigenen Möglichkeiten beschränken. Nun bezieht sich bei Transpersonen diese Diskrepanz zwischen der inneren Gewissheit und der äußeren Anmutung oder gelebten Rolle auf die Geschlechtsidentität. Ein Mensch lebt in einem Frauenkörper und versteht sich doch als Mann, oder ein Mensch lebt in einem Männerkörper und versteht sich doch als Frau.[21] Ein Mensch spürt eine Sehnsucht, eine Not, eine Gewissheit, als jemand anderes leben zu wollen (oder zu müssen) als die ihm oder ihr zugewiesene Geschlechtszugehörigkeit. Ein Mensch trägt einen Vornamen von Geburt und weiß doch, dass dieser Name nicht dem entspricht, wer diese Person tatsächlich ist und als wer diese Person leben möchte.

Ich stelle mir das vor wie eine extreme Variante jener Irritation, die man empfindet, wenn man falsch an- oder der Name falsch ausgesprochen wird: Man zuckt zusammen. Eine falsche Anrede oder Anrufung kann geradezu eine körperliche Irritation sein – ganz gleich ob es sich um einen Flüchtigkeitsfehler oder um Absicht handelt.[22] Etwas in einem jault auf und will das, was falsch war, unbedingt korrigieren. Das beginnt schon bei Kosenamen oder Spitznamen, die einem nicht gefallen oder entsprechen. Man möchte sie schmunzelnd abwehren – selbst wenn sie in wohlmeinender, liebevoller Absicht geäußert wurden. Schmerzlicher sind Beleidigungen, sprachliche Angriffe und Schimpfwörter, die einem nachgerufen werden, auf der Straße oder in den sozialen Medien. An Wörtern, die verletzen, lässt sich das besondere Verhältnis zwischen Namen und Wirklichkeit, Wissen und Macht ablesen.[23] Ein Name bestätigt immer auch eine soziale Existenz. Die Art und Weise, wie ich angesprochen werde, bestimmt auch meine Verortung in der Welt. Wenn mir permanent Worte zugeschrieben werden, die belastet sind oder die kränken, dann verschiebt sich damit auch meine soziale Position.[24]

So ist für Transpersonen der Geburts-Name, der sie auf eine Geschlechtsrolle verweist, die ihnen nicht entspricht, eine permanente soziale Entstellung. Sie sollen auf einen Namen hören, der das verleugnet und bestreitet, was sie leben. Sie werden im Alltag immer wieder durch den eingetragenen (männlichen oder weiblichen) Vornamen in offiziellen Dokumenten auf eine unerwünschte Geschlechtszugehörigkeit festgelegt. Schlimmer und demütigender noch sind die Erfahrungen an Grenzkontrollen, wenn Transpersonen von Beamten herausgezogen und verhört (oder auch körperlich untersucht) werden. Und so ist es für viele Transpersonen existentiell, eine personenstandsrechtliche Änderung (entweder des Vornamens oder des Geschlechtseintrags im Geburtsregister) zu erwirken.

*

In der breiteren Öffentlichkeit hat zuletzt vor allem Caitlyn Jenner das Bild einer *gewordenen Frau* oder Transfrau geprägt, die ihre Geschlechtsangleichung mit einer medizinischen Intervention vollzogen hat – und die vor allem durch die Präsentation auf der Titelseite der Zeitschrift *Vanity Fair* (mit Fotos von Annie Leibovitz) den Eindruck möglichst »perfekter« Weiblichkeit inszenierte. Mit Caitlyn Jenner bzw. mit den Bildern von Caitlyn Jenner verbindet sich die Vorstellung, bei Transpersonen ginge es immer um eine ästhetisch möglichst vollkommen durchgestaltete Wandlung der Geschlechtszugehörigkeit von Mann zu Frau (oder Frau zu Mann). In dieser Lesart unterwandert eine Transperson nicht die sozial dominanten Rollenbilder, sondern die bestehenden Codes von Männlichkeit und Weiblichkeit werden vielmehr bestätigt. Ganz abgesehen von den finanziellen Möglichkeiten, der besonderen Prominenz der Person und der damit verbundenen medialen Aufmerksamkeit, ist der Fall Caitlyn Jenner keineswegs repräsentativ. Das soll nicht den Respekt schmälern, der ihr zukommt für ihren Mut. Aber für viele Transpersonen ist die öffentliche Sichtbarkeit und Akzeptanz aufgrund ihrer Klasse, ihrer Hautfarbe oder ihrer sozialen Marginalisierung ungleich schwerer zu erlangen. Auch wenn mit Caitlyn Jenner ein besonders spektakuläres Beispiel einer gewordenen Frau oder Transfrau sichtbar wurde, so erweist sich die Lebenswirklichkeit der meisten Transpersonen als keineswegs so glamourös. In den Vereinigten Staaten lag die Arbeitslosenquote von Transpersonen im Jahr 2013 bei 14 Prozent (doppelt so hoch wie im amerikanischen Gesamtdurchschnitt); 15 Prozent verfügten über ein Jahreseinkommen von weniger als 10 000 Dollar (im Vergleich zu 4 Prozent bei der Gesamtbevölkerung).[25]

Vor allem aber gibt es nicht nur eine Form, als Transperson zu leben. Es existiert eine ungeheure Vielfalt an Transpersonen, an Erfahrungen und performativen Praktiken, sich selbst zu zeigen und zu artikulieren. Manche Transpersonen zitieren die jeweiligen Schibboleths, die als modellhaft männlich oder weiblich gelten, manche spielen und unterwandern sie. Die Codes für männlich oder weiblich werden recycelt oder persifliert, sie werden bestätigt oder ignoriert, im Sprechen oder Singen, durch *Drag* oder *Vogueing*, im Tanzen oder Kleiden, mit Packern oder Bindern[26], mit Kosmetik oder Bärten oder Perücken oder Rasuren – oder ohne alles. Manche arbeiten mit allen Mitteln daran, dass »*Schi*« des Schibboleth auszusprechen oder zu imitieren, andere verwandeln durch Prozesse der *Re-iteration* das ganze Losungswort und damit auch die Mechanik von Ausgrenzung und Eingrenzung.

Der individuelle Wunsch, die offizielle Geschlechtszugehörigkeit der inneren Überzeugung und der gelebten Geschlechtsrolle anzupassen, kann sehr unterschiedlich ausgeprägt sein. Manche Menschen lehnen die Geschlechtskategorien ab, weil sie für sie nicht passen oder weil sie sie für grundsätzlich fragwürdig halten. Manche möchten juristisch und gesellschaftlich in der Geschlechtsrolle anerkannt werden, in der sie leben – ohne sich dafür medizinischen Operationen zu unterziehen. Manche möchten in allen primären und sekundären Geschlechtsmerkmalen dem Geschlecht entsprechen, als das sie sich empfinden. Es gibt für die, die ihre Geschlechtsidentität verwandeln oder angleichen wollen, unterschiedliche Wege der *Transition*: ob das eine Hormon-Einnahme bedeutet oder chirurgische Eingriffe – auch das ist vielfältig. *Trans* kann bedeuten »von M zu F« (oder »von F zu M«), es kann aber auch heißen »zwischen M und F« oder »weder M noch F«. Und es kann heißen, dass die binären Kategorien »M« und »F« unpassend oder schlicht zu wenig sind. Manche möchten sich nicht zu einer »eindeutigen« Geschlechterrolle oder zu einem »eindeutigen« Körper in diesen Kategorien drängen lassen und leben in einem Anderswo.[27]

Auch unter Transpersonen selbst ist durchaus umstritten, was die verschiedenen Formen der *Transition* normativ oder politisch bedeuten. Welche Begriffe von Körperlichkeit oder »Natürlichkeit« sie durch ihre Praktiken und Entscheidungen bestätigen oder hinterfragen: Ist eine geschlechtsangleichende Operation eine Art der »Verstümmelung« eines »natürlichen« Körpers? Oder korrigiert sie nur etwas und bringt es in seine angemessene Form? Oder sind Körper ohnehin längst und immer schon Produkte bio-chemischer, medizinischer und technologischer Eingriffe, und ist somit jede Vorstellung eines ursprünglichen, unberührten Körpers absurd? Ist es eine

Form der subjektiven Freiheit, sich selbst modellieren, pflegen, verändern zu können? Ist es eine emanzipatorische Version der Sorge um sich? Oder ist eine Hormon-Therapie eine politisch fragwürdige Allianz mit einer Pharmaindustrie, die ihren Profit daraus zieht, dass Staaten die Lust und die Körper von Menschen reglementieren und disziplinieren wollen?

Inwiefern bestätigen gerade diejenigen, die unter den Zuschreibungen der Geschlechternormen leiden oder sie in Frage stellen, am Ende eben diese Normen? Der Transmann Paul B. Preciado schreibt über diese offenen, politischen Fragen innerhalb des eigenen Freundeskreises: »Ich weiß, dass sie mich wegen des Testosterons verurteilen werden. (…) weil ich ein Mann wie andere Männer auch werden könnte, weil sie mich gut fanden, als ich ein Mädchen war.« Manche Transpersonen möchten eben das: ein Mann »wie andere Männer auch« werden oder eine Frau »wie andere Frauen auch«. Und für manche wiederum geht es darum, sich diesen Modellen, diesen Vorgaben, was als männlich oder weiblich gelten darf, zu entziehen. Nicht zuletzt stellt sich auch die Frage, was eine Hormonbehandlung eigentlich *bewirkt*? Assimiliert sich, wer Hormone einzunehmen beginnt, automatisch an die dominanten Rollenbilder? Was macht die Hormoneinnahme mit einer Person? Verändert tatsächlich allein die Hormonbehandlung die Person, oder beeinflusst sie, wie andere über diese Person denken? Es lässt sich eine medizinische Antwort darauf geben: Eine Erhöhung des Testosteronwerts im Blut eines Körpers, der an einen auf der Produktion von Östrogen basierenden Stoffwechsel gewöhnt ist, stellt eine Art »Reprogrammierung« dar: »Die geringste hormonale Veränderung affiziert bereits die Gesamtheit der Körperfunktionen: die Lust aufs Essen und aufs Ficken, die Regulierung der Blutzirkulation und der Mineralienaufnahme, den biologischen Schlafrhythmus, die physische Kraft, die Muskelspannung, den Stoffwechsel, den Geruchs- und Geschmackssinn und damit die gesamte chemische Physiologie des Organismus.«[28] Aber ist das Ergebnis automatisch »männlich«? Oder ist »männlich« die Übereinkunft, ein bestimmtes Ensemble an chromosomalen, genitalen Merkmalen, aber auch an Gesten, Praktiken und Gewohnheiten als »männlich« zu begreifen?

*

Für diejenigen, die sich für eine *Transition* entscheiden, birgt dieser Weg unüberschaubare innere und äußere Schwellen.[29] Zu den inneren Schwellen gehört die Ungewissheit, wie sich die eigene Haut anfühlen, die eigene Stimme klingen, wie der eigene Schweiß riechen, wie die äußere Erscheinung und wie die Lust sich womöglich verändern werden. »Ich warte auf die Wirkung, ohne genau zu wissen, worin sie bestehen wird und wie und wann sie sich zeigen wird«, schreibt Paul B. Preciado über die Entscheidung, das erste Mal Testosteron einzunehmen.[30] Sich für eine *Transition* zu entscheiden heißt immer auch, sich auf etwas Dynamisches, Unsicheres einzulassen –

nicht zuletzt auf sich selbst. Auch wenn mit der *Transition* nichts Illegales verbunden ist, auch wenn sie unter ärztlicher Beobachtung und staatlich-administrativer Kontrolle abläuft, ist dieser Weg so tabuisiert wie fragil. »Als ich mich für meine erste Dosis Testosteron entscheide, spreche ich mit niemandem darüber – als handele es sich um harte Drogen«, schreibt Paul B. Preciado, »ich warte bis ich zu Hause bin, alleine, und erst dann probiere ich sie aus. Ich warte bis es Nacht ist. Ich gebe ein Tütchen in ein Glas Wasser, verschließe die Packung aber gleich wieder, um sicherzugehen, dass ich heute, beim ersten Mal, nur eine Portion verwende. Ich habe kaum angefangen und benehme mich schon, als wenn ich von einer verbotenen Substanz abhängig wäre. Ich verstecke mich, beobachte und zensiere mich, ich übe mich in Zurückhaltung.«[31]

Zu den inneren Schwellen zählt auch die Angst vor der fehlenden Akzeptanz in der Gesellschaft. Die Sorge vor den ständig sich wiederholenden Nachfragen der anderen, den ständig sich wiederholenden Erklärungen, die es womöglich braucht, um Bekannten und Kolleginnen die Veränderung verständlich zu machen. Einerseits ist es naheliegend, dass das soziale Umfeld diesen Prozess nachvollziehen möchte und auch Fragen hat, die durchaus wohlmeinend sind. Natürlich ist es eine Umstellung, eine Person, die einem immer unter einem Namen vertraut war, nun anders ansprechen zu sollen. Es braucht vermutlich eine Weile bis sich der neue Name so selbstverständlich und vertraut anfühlt wie der vorherige.

Vielleicht wird es manchmal, aus Versehen und aus Gewohnheit, schiefgehen. Das ist verständlich. Und gewiss hilft es deswegen auch, nachfragen und den Prozess besser begreifen zu können. Andererseits kann es für Transpersonen mühsam sein, immer nur die eigene *Transition* diskutieren zu sollen. Manchmal möchten sie auch gern darüber hinaus als Individuen wahrgenommen werden, die vielleicht Schlagzeug spielen oder ein Kind großziehen oder als Anwältin arbeiten. Zu den inneren Schwellen gehört sicherlich auch die Angst vor den Schmerzen operativer Eingriffe. Eine *Transition* besteht nicht aus einem einzelnen Akt, einer einzelnen chirurgischen »Korrektur«, sondern oft aus einer langen Kette von mitunter schmerzlichen und komplizierten Operationen.

*

Zu den äußeren Schwellen vor einer *Transition* gehören vor allem die bürokratischen, finanziellen, psychiatrischen und juristischen Hürden, die einer Geschlechtsangleichung vorgeschaltet sind. Seit dem Jahr 1981 regelt in Deutschland das »Transsexuellengesetz« (TSG) die rechtlichen Möglichkeiten für Transpersonen, auch offiziell in der Geschlechtszugehörigkeit anerkannt zu werden, der sie sich selbst zuordnen.[32] Das »Gesetz über die Änderung der Vornamen und die Feststellung der Geschlechtszugehörigkeit in besonderen Fällen« definiert die Voraussetzungen, die gegeben sein müssen, damit dem Wunsch auf Anpassung des Vornamens an die empfundene Geschlechtszugehörigkeit (»kleine Lösung«) oder dem Wunsch auf Änderung des Geschlechtseintrags im Geburtsregister, also die Änderung der personenstandsrechtlichen Zuordnung (»große Lösung«), entsprochen werden kann. Das Gesetz sieht – nach zahlreichen Änderungen – nicht mehr eine geschlechtsangleichende Operation als Bedingung dafür, eine Änderung des Geschlechtseintrags im Geburtsregister erwirken zu können. Vielmehr geht es darum, dass die Person, die den Antrag auf Personenstandsänderung stellt, »sich aufgrund ihrer transsexuellen Prägung nicht mehr dem in ihrem Geburtstageintrag angegebenen Geschlecht *als zugehörig empfindet*« (Hervorhebung von mir).[33] Entscheidend ist also nicht eine wie auch immer definierte Natürlichkeit oder Eindeutigkeit des Körpers, entscheidend ist nicht, dass der Körper in allen seinen Merkmalen der gelebten Geschlechtsrolle entspricht. Sondern entscheidend ist die Frage, ob sich die Person mit der festgestellten Geschlechtszugehörigkeit *identifiziert* oder nicht. In einer Reihe von Entscheidungen des Bundesverfassungsgerichts hat sich mittlerweile die Überzeugung durchgesetzt, dass allein die psychische oder emotionale Identifikation – und keineswegs die physischen Verfasstheiten – zu veranschlagen seien. So argumentierte der Erste Senat in einem Beschluss vom 11. Januar 2011: »Seit Inkrafttreten des Transsexuellengesetzes wurden neue Erkenntnisse über die Transsexualität gewonnen (…). Transsexuelle leben in dem irreversiblen und dauerhaften Bewusstsein, dem Geschlecht anzugehören, dem sie aufgrund ihrer äußeren körperlichen

Geschlechtsmerkmale zum Zeitpunkt der Geburt nicht zugeordnet wurden. Ihre sexuelle Orientierung im empfundenen Geschlecht kann, wie bei Nicht-Transsexuellen, hetero- wie homosexuell ausgerichtet sein.«[34]

Dennoch ist die freie Entfaltung der Persönlichkeit, die das Grundgesetz garantiert, für Transpersonen bislang nicht ganz so frei. Das Selbstbestimmungsrecht bleibt eigentümlich beschränkt. In unendlich vielen Hinsichten dürfen Menschen über den eigenen Körper allein bestimmen. Es ist gestattet, synthetische Drogen einzusetzen, sich mit Hilfe der plastischen Chirurgie der ästhetischen Phantasie von sich selbst anzunähern, es ist gestattet, mit Hilfe medizintechnischer Innovationen und Prothesen den eigenen Körper zu ergänzen oder einzelne Teile zu ersetzen. Menschen dürfen die In-vitro-Medizin nutzen, um schwanger zu werden, sie können schwerste Verwundungen und Versehrungen dank rekonstruktiver Chirurgie behandeln – all das ist längst medizinisch-ästhetischer Alltag geworden. Aber die Frage der freien Entfaltung der Persönlichkeit von Transpersonen ist immer noch administrativ überlagert und überfrachtet mit biopolitischer Reglementierung und Disziplinierung. Vom »Geschlechtswechsel als professionellem Accomplishment« spricht angesichts all der vielen involvierten Disziplinen aus Therapeutinnen, Gutachtern und Ärztinnen der Soziologe Stefan Hirschauer.

So wird von Amts wegen eine Ermittlung des Sachverhalts der »Transsexualität« verlangt. Das Amtsgericht ist angewiesen, zwei unabhängige Gutachten einzuholen, in denen ausgewiesene Psychiaterinnen und Psychiater konstatieren, dass sich das Zugehörigkeitsempfinden der Transperson nicht mehr ändern wird. Ohne diese Begutachtung lässt sich beim Amtsgericht keine Personenstandsänderung realisieren. Die psychologischen Gutachten beurteilen bei der Diagnose der »Transsexualität« nicht unbedingt nur (wie es der Gesetzgeber vorsieht), ob eine Person sich als dem anderen Geschlecht *zugehörig empfindet*, sondern sie werten Transsexualität als Krankheit und »Störung«.[35] Entscheidend ist dafür die Klassifizierung von »Transsexualität« nach dem ICD-10-Handbuch *(International Statistical Classification of Diseases and Related Health)* der *World Health Organisation* (WHO). In Kapitel V, Abschnitte F00-F99 der ICD werden psychische und Verhaltensstörungen aufgelistet, darunter von F60 bis F69 »Persönlichkeits- und Verhaltensstörungen«. Warum? Warum sollte eine Transperson als verhaltensgestört klassifiziert werden? Das Bundesverfassungsgericht sieht eine solche Pathologisierung nicht vor. Es wird nur verlangt, dass sich eine Person als dem anderen Geschlecht zugehörig empfindet – und dass diese Empfindung von Dauer sein soll. Dazu braucht die Person nicht als »krank« und ihre Empfindung auch nicht als »unnatürlich« definiert zu werden. Wer eine Änderung im Personenstandsregister erreichen will, so beklagen es viele Transpersonen, muss nicht nur dem Amtsgericht zwei psychiatrische

Gutachten vorlegen, sondern im Verlauf der so verordneten Gespräche eine möglichst glaubwürdige Erzählung des eigenen Leidens darbieten. Das ist für manche Transpersonen kein Hindernis, denn sie haben ihr Leben zuvor als ein entsetzliches Leiden erlebt. Manche beschreiben dieses Leiden als ein Leben im »falschen Körper«. Andere beschreiben das Leiden dagegen als ein Leiden an der Wahrnehmung und Deutung dieses Körpers als gesellschaftlich inakzeptabel. Manche Transpersonen lehnen auch nicht grundsätzlich die Klassifikation von Krankheit ab, weil sie tatsächlich ihr Leben vor der (Neu-)Geburt in einem anderen Körper und mit einem anderen Namen als ungeheuer schmerzvoll empfunden haben. Für viele andere Transpersonen allerdings stellt diese Begutachtung eine inakzeptable Pathologisierung dar. Sie wehren sich verständlicherweise gegen eine Stigmatisierung als »gestörte« Kranke – der sie im Prozess der psychiatrischen Begutachtung de facto auch noch zuarbeiten müssen, wollen sie das erforderte Gutachten erhalten.

In seinem Essay *The Elusive Embrace* erzählt der Autor und Kritiker Daniel Mendelsohn von seiner besonderen Prägung durch das Studium der Sprachen des klassischen Altertums. Im Altgriechischen gibt es eine typische Satzverbindung, die durch die Worte *men* und *de* strukturiert wird und die sich mit »einerseits« und »andererseits« übertragen lässt. Die Griechen *men* drangen vorwärts; die Trojaner *de* widerstanden. So lassen sich Sätze verbinden, die einen Gegensatz ausdrücken

sollen. Mendelsohn beschreibt, wie diese Struktur des einer-
seits-andererseits nach und nach sein Denken beeinflusste:
»Wenn man sich lang genug mit der griechischen Literatur
befasst, beginnt dieser Rhythmus das eigene Denken auch in
anderen Fragen zu strukturieren. Die Welt *men*, in die du
geboren wurdest, die Welt *de*, die zu bewohnen du wählst.«[36]

Das Denken über Männlichkeit oder Weiblichkeit bewegt
sich meist in dieser Struktur der Gegensätze, eines Entwe-
der-Oder. Ganz gleich, was unter männlich oder weiblich in
einem bestimmten historischen Kontext oder einer bestimmten Kultur verstanden wird, entscheidend ist, dass sich die
vermeintlich »natürlichen« und »ursprünglichen« Konturen
und Grenzen der Kategorien nicht verwischen. Dass die es-
sentiellen Unterschiede erkennbar bleiben und sie die soziale
Ordnung bestätigen. Mit der Behauptung der Natürlichkeit
der Geschlechter verbindet sich immer der Anspruch an ihre
unveränderliche *Eindeutigkeit*.[37]

Ist diese Eindeutigkeit nicht gegeben, widerspricht eine Person (durch ihren Körper oder ihre gelebte Geschlechtsrolle)
ihrer bei der Geburt zugewiesenen Geschlechtszugehörigkeit,
oder widerspricht eine Person der zweigeschlechtlichen Kate-
gorisierung schlechthin, dann wird noch immer eine medizi-
nisch-psychiatrische Störung unterstellt. Das, was »ursprünglich« oder »natürlich« gewesen sein soll, ist dabei gar nicht
mehr unbedingt der Körper einer Person, sondern vielmehr

die Struktur des Denkens in *men* und *de*. Personen, die dieser Ordnung nicht entsprechen, werden gutachterlich für »krank« erklärt.[38]

Bei der Frage der Pathologisierung von Transpersonen geht es nicht allein darum, welche rechtlichen und normativen Konsequenzen im Zusammenhang mit der erwünschten Anerkennung und Personenstandsänderung daran geknüpft werden. Sondern diese Stigmatisierung entzieht Transpersonen auch jenen politischen und gesellschaftlichen Schutz, den sie brauchen – und den sie so verdienen wie alle anderen Menschen auch. Mit dieser Festschreibung als nicht nur von einer Norm abweichende, sondern als vermeintlich »gestörte« Personen, werden Transpersonen ausgesondert und alleingelassen. Leider entzündet sich an dieser sozialen Abwertung oft genug die Verachtung und Gewalt, der Transpersonen in besonderer Weise im Alltag ausgeliefert sind.[39] Die vermeintliche »Krankheit« dient transfeindlichen Personen oder Gruppen als willkommene »Rechtfertigung« von Spott und Hass, von brutalen Übergriffen oder sexueller Gewalt.

Wie der furchtbare Anschlag von Orlando im Juni 2016 noch einmal schmerzlich vorgeführt hat, ist die Erfahrung der Schutzlosigkeit das, was Lesben, Schwule, Bisexuelle, Transgender, intergeschlechtliche und queere Menschen eint.[40] Wie immer wir uns sonst unterscheiden mögen, wie immer singulär wir als Individuen auch sein mögen, das Gefühl der

Verwundbarkeit haben wir gemeinsam. Immer noch in der Öffentlichkeit mit Beleidigungen und Angriffen rechnen zu müssen, nie sicher zu sein, was wir, die wir *etwas* anders lieben oder begehren oder aussehen als die normvorgebende Mehrheit, riskieren, wenn wir auf der Straße Hand in Hand gehen oder uns küssen, immer einen Übergriff antizipieren zu müssen, immer uns bewusst zu bleiben, dass wir das noch sind: Objekt der Ausgrenzung und der Gewalt für die Hassenden. »Schwule Orte werden immer wieder von der Geschichte dieser Gewalt heimgesucht«, schreibt Didier Eribon in seinem grandiosen Erinnerungsbuch *Rückkehr nach Reims*, »jede Allee, jede Parkbank, jeder blickgeschützte Winkel trägt die Vergangenheit, Gegenwart und Zukunft solcher Attacken in sich.«[41]

Das *Trans Murder Monitoring Project* veröffentlichte zum »Internationalen Tag gegen Homophobie, Transphobie und Biphobie« am 17. Mai 2016 folgende Zahlen: Allein im Jahr 2016 waren weltweit bereits 100 trans- und genderdiverse Menschen ermordet worden. Seit Beginn des Monitorings im Januar des Jahres 2008 bis zum 30. April 2016 starben 2115 Menschen in 65 Ländern durch homo-, trans- oder biphobe Gewalt. Davon wurden 1654 Morde allein in Zentral- und Südamerika registriert. Die OSZE führt in ihrer »Hate Crime Statistik« für das Jahr 2014 unter dem Eintrag *Hate Crimes gegen LGBT Personen*, die von der Polizei registriert wurden, 129 Fälle auf – deutlich weniger als die von der Polizei verzeichneten Fälle von *Hate Crimes* aufgrund von antisemitischer (413) oder rassistischer (2039) Motivation. Allerdings weist die Statistik auch auf jene Fälle hin, die nicht bei der Polizei angezeigt wurden, sondern die durch zivilgesellschaftliche Akteure gesammelt und registriert wurden: Während hier für dasselbe Jahr 47 gewalttätige Angriffe mit rassistischem Hintergrund gezählt wurden, waren es 118 gewalttätige Angriffe auf LGBT Menschen.[42]

Für Transpersonen und intergeschlechtliche Menschen ist die Erfahrung von Hass und Misshandlung besonders virulent. Sie sind noch einmal sehr viel stärker Diskriminierung und brutaler Gewalt ausgeliefert als schwule und lesbische Menschen. Nicht zuletzt auch deshalb, weil es sehr viel weniger öffentliche Räume gibt, die ihnen offenstehen und ihnen Schutz gewähren.[43] In Schwimmbädern, in Umkleidekabinen beim Sport und auf öffentlichen Toiletten riskieren sie beständig, ausgeschlossen oder verletzt zu werden. Die besondere Aggression, der sich Transpersonen und intergeschlechtliche Menschen gegenübersehen, entzündet sich oft daran: dass transfeindliche Personen oder Gruppen schlicht *Uneindeutigkeit* oder Ambivalenz nicht aushalten können.[44] Ob etwas aber überhaupt als »uneindeutig« oder »ambivalent« wahrgenommen wird, hängt schon daran, was für ein begrenztes Angebot an Kategorien es gibt. Die Verachtung von Transpersonen maskiert sich oft mit der Behauptung, die eigene Männlichkeit, die eigene Weiblichkeit könne durch die Vieldeutigkeit der gelebten Geschlechterrollen von Transpersonen gefährdet oder entwertet werden. Das ist insofern kurios, als Transpersonen ja nicht eine Änderung der Geschlechtsidentität anderer verlangen – sondern nur die Bedingungen in Frage stellen, unter denen ihr Recht auf freie Entfaltung der Persönlichkeit eingeschränkt wird.

*

Das Thema des Zugangs zu Toiletten für Transpersonen ist jüngst vor allem in den USA kontrovers debattiert worden. Elf Bundesstaaten haben die Regierung Barack Obamas verklagt, weil diese die Schulen des Landes angewiesen hatte, Transpersonen die freie Wahl zu lassen, welche Toiletten ihrem selbstempfundenen Geschlecht entsprechen – unabhängig von der in ihrer Geburtsurkunde festgestellten Geschlechtszugehörigkeit. Dagegen protestieren nun einige Bundesstaaten mit einer Klageschrift, in der es heißt, die Regierung wolle »Arbeitsplätze und Bildungseinrichtungen zu Laboren eines massiven sozialen Experiments machen«.[45] Versteht man den rechtlichen und räumlichen Schutz von Minderheiten vor Diskriminierung und Gewalt als »massives soziales Experiment«, stimmt die Anschuldigung.

Es wundert tatsächlich, mit welcher Verbitterung und welcher Aufgeregtheit dagegen agitiert wird, dass Menschen, deren »ursprüngliches« Geschlecht nicht mehr dem entspricht, als was sie leben, einen stillen Ort bekommen dürfen. Dabei wird den Befürwortern einer veränderten Toiletten-Kennzeichnung oder der Öffnung der Toiletten für Transpersonen gern vorgeworfen, es sei doch eine geradezu lächerliche Fixierung, dass die eigene Emanzipation an so etwas Banalem wie Toiletten hängen sollte. Abgesehen von der erstaunlichen Unterschätzung der Bedeutung von Toiletten, die darin artikuliert wird – wenn das Thema so lächerlich unbedeutend wäre wie behauptet, dann könnte darüber doch auch mit Gelassenheit und Großzügigkeit befunden werden.

Was sollte daran so kompliziert sein? Eine offene, gerechte Gesellschaft zeichnet sich auch dadurch aus, dass sie zu lernen in der Lage ist: das heißt nicht nur, dass sie für ökologische oder ökonomische Probleme Kapazitäten freistellt und Lösungen entwickelt, sondern das heißt auch, dass sie sich selbstkritisch befragt, nach welchen Kriterien sie soziale Teilhabe oder politische Mitsprache zugesteht. Eine lernende Gesellschaft zeichnet sich dadurch aus, dass sie überprüft, ob tatsächlich alle die gleichen Chancen und den gleichen Schutz erhalten oder ob es unsichtbare oder sichtbare Barrieren gibt aus Tabus oder ideologischen Schibboleths. Dazu müssen nicht nur Gesetze und ihre Anwendungen betrachtet werden, sondern auch architektonische oder mediale Setzungen. Das sollte mit einer gewissen selbstkritischen, ironischen Neugierde möglich sein.

Es gibt selbstverständlich Nachrichten in Gebärdensprache und Fernsehprogramme mit Untertiteln für Gehörlose, es gibt Zugänge zu Bahnhöfen und öffentlichen Gebäuden für Gehbehinderte und Rollstuhl-Fahrer und -fahrerinnen, es gibt in den meisten Restaurants eine ungeheure Hilfsbereitschaft, mit der noch auf die seltensten Unverträglichkeiten Rücksicht genommen wird – und da soll es nicht möglich sein, dass Transpersonen auf Toiletten gehen können, die für sie passen? Es gehört zu den gesellschaftlichen Selbstverständlichkeiten, dass wir auf unterschiedliche kulturelle, gesundheitliche oder religiöse Bedürfnisse eingehen. Es braucht nicht besonders viel Reflexion oder Energie – nur braucht es finanzielle Investitionen, wenn es materielle, architektonische Veränderungen verlangt. Und ebenso selbstverständlich sollte es sein, sichere Räume für Transpersonen zu gewährleisten. In Schwimmbädern oder Schulen, aber auch in Gefängnissen, Flüchtlingsunterkünften und in Abschiebeanstalten. Im März 2016 veröffentlichte *Human Rights Watch* unter dem Titel *Do you see how much I'm suffering here* einen Bericht über die Misshandlungen von geflüchteten Transfrauen, die in amerikanischen Gefängnissen und Abschiebeanstalten für Männer inhaftiert sind.[46] In dem Report wird dokumentiert, wie geflüchtete Transfrauen nicht in Frauengefängnissen, sondern aufgrund ihres bei der Geburt zugewiesenen »ursprünglichen« Geschlechts in Männer-Einrichtungen untergebracht werden. Sie müssen dort nicht nur Leibesvisitationen durch männliches Personal über sich ergehen lassen, sondern werden regelmäßig auch Opfer von gewalttätigen Übergriffen. Weil selbst dem Anstaltspersonal aufgefallen ist, wie brutal geflüchtete Transfrauen in dieser Umgebung misshandelt und gequält werden, stecken sie diese oft »zu ihrem eigenen Schutz« in isolierte Zellen. Eine grausame Methode, die üblicherweise zur Bestrafung von Häftlingen eingesetzt wird, verklärt sich in dieser Logik zu einer angeblich umsichtigen Form, Transpersonen zu schützen.

*

All die staatliche und gesellschaftliche Reglementierung und Disziplinierung nur, weil Körper oder Geschlecht unbedingt mit den Kategorien der »Natürlichkeit« und der »Ursprünglichkeit« festgeschrieben werden sollen? All das individuelle und kollektive Leid, all die Ausgrenzung, all die Pathologisierung sollen gesellschaftlich akzeptabel sein, bloß weil eine angeblich ursprüngliche Ordnung nicht angetastet werden darf? Welche Autorität wird da einer vermeintlich statischen Natur zugeschrieben, die dann und nur dann unantastbar sein soll, wenn es darum geht, Transpersonen als Andere zu markieren?

Artikel 2 des Grundgesetzes garantiert *das Recht auf freie Entfaltung der Persönlichkeit*, auf Leben, auf *körperliche Unversehrtheit* und schützt *die Freiheit der Person*. Da steht nicht: garantiert »die halb-freie Entfaltung der Persönlichkeit«, da steht

161

auch nicht: »die freie Entfaltung nur jener Persönlichkeiten, die sich an ihre bei der Geburt festgestellte Geschlechtszugehörigkeit halten«, da steht nicht: »die Freiheit nur jener Personen, die den traditionellen Vorstellungen von ›natürlicher‹ Männlichkeit und Weiblichkeit entsprechen«. Da steht: »das Recht auf freie Entfaltung der Persönlichkeit«. Es steht nirgends geschrieben, dass ein Mensch sich nicht ändern oder entwickeln darf. Im Gegenteil: Das Grundgesetz schützt eben genau die Handlungsfreiheit des Individuums – solange darin nicht die Freiheiten anderer verletzt werden. Das Grundgesetz gehört allen, nicht nur der Mehrheit. Und es ist allen verpflichtet – auch denen, die ganz gleich in welcher Hinsicht von einer Mehrheit abweichen.

Nicht Transpersonen müssen begründen, warum sie anerkannt werden wollen wie andere Menschen auch. Nicht Transpersonen müssen erklären, dass ihnen dieselben subjektiven Rechte, derselbe Schutz des Gesetzgebers, derselbe öffentliche Zugang zusteht wie anderen Personen auch. Nicht Transpersonen müssen rechtfertigen, wie sie leben wollen. Nicht Transpersonen müssen begründen, warum ihnen das Recht auf freie Entfaltung der Persönlichkeit zusteht, sondern alle, die ihnen dieses Recht absprechen wollen. Es wird Zeit, dass das »Transsexuellengesetz« so reformiert wird, dass das Selbstbestimmungsrecht von Transpersonen auch dann gilt, wenn sie nicht vorher begutachtet werden. Sinnvoll wäre eine bloße Antragslösung, wie es sie in Argentinien und Portugal schon gibt: Es sollte möglich sein, beim Standesamt den Wunsch auf Änderung der Geschlechtszugehörigkeit zu erklären. Die Personenstandsänderung könnte dann schlicht durch eine Urkunde bestätigt werden.[47]

»An dieser Besonderheit des Griechischen ist jedoch interessant, dass die ›men … de‹-Sequenz nicht unbedingt gegensätzlich sein muss«, schreibt Daniel Mendelsohn. »Manchmal – ja oft – verbindet sie auch zwei Begriffe, Eigenschaften oder Namen, verknüpft statt zu unterscheiden, vervielfältigt statt zu trennen.«[48]

Es wäre schön, wenn sich diese Einsicht mit heiterer Gelassenheit einstellen könnte: dass aus einer Struktur, die eine Gegensätzlichkeit zu organisieren schien, eine Form wird, in der sich vielfältige Verbindungen und Verknüpfungen ergeben. Niemand verliert etwas, niemandem wird etwas genommen, niemand muss sich verändern, wenn eine Gesellschaft auch Transpersonen das Recht zugesteht, sich selbst frei zu entfalten. Kein Mensch, keine Familie wird daran gehindert, den eigenen Vorstellungen von Männlichkeit oder Weiblichkeit zu entsprechen. Es geht nur darum, auch Transpersonen als gesunde, lebendige, freie Menschen mit denselben subjektiven Rechten und demselben staatlichen Schutz auszustatten wie alle anderen Menschen auch. Das schmälert niemandes Rechte, das missachtet niemanden. Sondern es erweitert den Raum, in dem alle miteinander als Freie und Gleiche leben können. Das ist das Mindeste, was zu tun ist. Es darf nicht den Transpersonen überlassen werden, ihr Recht auf freie Entfaltung der Persönlichkeit einzuklagen. Es kann nicht sein, dass nur die, die ausgegrenzt oder missachtet werden, um ihre Freiheit und ihre Rechte ringen müssen. Sondern es muss im Interesse aller liegen, dass die gleiche Freiheit und die gleichen Rechte auch allen zugestanden werden.

*

Rein

»Sie haben den Kopf voll: von Vernichtungslust
und der Gewissheit, straffrei zu agieren.«
Klaus Theweleit, Das Lachen der Täter

Eine andere Strategie, die eigene Gruppe oder Ideologie als
höherwertig zu beschreiben, das »Wir« von den »Anderen«
zu unterscheiden, liegt in Erzählungen, die die eigene »Reinheit« behaupten. Das Schibboleth, das die einen als zugehörig
und die anderen als feindlich erklärt, trennt die vermeintlich
»Unbefleckten« von den vermeintlich »Schmutzigen«. Wer
als unsauber oder unrein deklariert wird, gehört ausgesondert
und bestraft. Es ist eine solche Propaganda der Reinheit, die
der salafistische Dschihadismus, das ideologische Programm
des Terror-Netzwerks des sogenannten IS, verbreitet und mit
der er seine Gewalt zu überhöhen sucht.

Nun ließe sich einwenden: Wozu überhaupt die Doktrin
einer Terrorgruppe betrachten? Reicht es nicht zu wissen, wie
sie in Beirut oder Tunis, in Paris oder Brüssel, in Istanbul oder
Raqqa gezielt und willkürlich Menschen umbringt? Reicht es
nicht, sich an die abscheulichen Morde von Kindern in Tou-

louse zu erinnern, die getötet wurden, nur weil sie jüdisch waren? Oder die Morde an den Menschen in einem koscheren Supermarkt in Paris? Oder an die Morde im Jüdischen Museum in Brüssel? Alles nur, weil die Opfer jüdisch waren? Reicht es nicht, sich an den Anschlag auf die Redaktion der Satire-Zeitschrift *Charlie Hebdo* zu erinnern, bei dem Menschen sterben mussten, nur weil sie zeichneten und an die Freiheit der Kritik und des Humors glaubten, selbst da, wo sie vielleicht manche kränkte? Oder an das Massaker im Pariser Konzertsaal *Bataclan*, bei dem junge Menschen sterben mussten, Muslime, Christen, Juden, Atheisten, weil sie ausgehen und Musik hören wollten – in einem Club, der zuvor jüdische Besitzer hatte?[49] Oder an das Gemetzel am Strand von Tunis, bei dem wahllos und unterschiedslos Menschen getötet wurden, die sich erholen wollten? Oder an den Mord an einem Polizeibeamten und seiner Frau in Magnanville? Reicht es nicht zu wissen, wie irakische und syrische Jezidinnen sexuell versklavt und gequält werden? Wie irakische und syrische Homosexuelle von hohen Mauern in den Tod gestoßen werden, nur weil sie anders lieben oder anders begehren?[50]

Spielt da die Ideologie überhaupt eine Rolle? Das ist furchtbarer Terror einer Verbrecher-Bande, die den mafiosen Kartellen der *Narco-Trafficos* in Mexiko ähnelt (in der Brutalität, der Praxis der Entführung und Erpressung, der medialen Kommunikation, die Angst und Schrecken verbreiten soll, der Internationalität). Wozu bedarf es da überhaupt einer Betrachtung ihrer programmatischen Rhetorik? Nach den Anschlägen von Paris bezeichnete Präsident Barack Obama die Attentäter als »einen Haufen Mörder mit guten sozialen Medien«. Grenzt es nicht an Verharmlosung, sich überhaupt mit irgendeiner Dogmatik einer solchen Organisation zu befassen, die weltweit mordet?

Einer der kenntnisreichsten Analytiker des IS, der Direktor des Projekts »US-Beziehungen zur islamischen Welt« am Brookings Institute in den Vereinigten Staaten, Will McCants, schreibt: »Obwohl ich mich seit zehn Jahren mit der dschihadistischen Kultur befasse, finde ich es immer noch so erstaunlich wie abstoßend, dass es ihr gelingt, Menschen so dafür zu begeistern, Unschuldigen das Leben zu nehmen.«[51] Es braucht eine Erklärung dafür, wie Menschen dazu gebracht werden können, andere zu töten. Wie sie darauf vorbereitet werden, andere Menschen nicht mehr als Menschen zu sehen. Welche Raster des Hasses gefertigt werden müssen, damit sie – ohne zu zögern – Kinder, Frauen, Männer foltern und ermorden können. Wie sie darauf trainiert werden, das Leben anderer zu nehmen und das eigene aufzugeben für ein angeblich höheres Ziel – oder für das gleichgesinnte Publikum, das sich am obszönen Spektakel der Gewalt labt.

Gelegentlich wird im Zusammenhang mit dem IS so getan, als sei das alles nicht mehr verwunderlich. Die Attentate werden einhellig verurteilt – aber das Staunen darüber, dass Menschen überhaupt dazu gebracht werden können, so skrupellos zu morden, ebbt ab. Als ob mit der schieren Quantität der Anschläge des IS eine gewisse Gewöhnung eingesetzt hätte. Als ob es reichte zu sagen: Es waren Anhängerinnen und Anhänger des IS – und damit wäre bereits geklärt, wie Menschen in diesem Hass geschult werden, wie sie dahin gebracht werden können, andere als wertlos zu verachten. Diese eigentümliche Haltung birgt die Gefahr der Trivialisierung der Gewalt: als ob der Terror des IS eine Art Naturgesetz wäre. Als ob der islamistische Terror einem Automatismus folgte und keinen Anfang hätte.

Doch Hass und Gewalt, auch islamistischer Hass und Gewalt, sind nicht einfach da. Sie ergeben sich nicht aus »dem Islam«. Sie sind nicht authentisch muslimisch. Sie werden *gemacht*. Von einer terroristischen Organisation mit einer totalitären Ideologie. Gewiss, die terroristischen Strategen beziehen sich auch auf islamische Schriften – aber ihrer pseudo-rigoristischen, gewaltverherrlichenden Auslegung der Texte widersprechen nahezu alle muslimischen Gelehrten. In einem offenen Brief an die Anhänger und Anhängerinnen des IS kritisierten 120 einflussreiche muslimische Gelehrte im Jahr 2015 die Ideologie des IS als eindeutig *unislamisch*. Dabei waren es keineswegs besonders liberale Reformer allein, die sich gegen den IS wendeten. Sondern zu den Autoren zählten der Großmufti von Ägypten, Scheich Shawqi Allam, ebenso wie Scheich Ahmad Al-Kubaisi, der Gründer der Ulama-Vereinigung des Irak. Es finden sich unter ihnen Gelehrte aus dem Tschad und Nigeria bis Sudan und Pakistan.[52] In ihren Texten legen sich die IS-Strategen vielmehr ihre Quellen und ihre Autoritäten zurecht, wie es ihnen gerade passt. Sie zitieren einzelne Sätze – ohne Bezug zu dem weiteren Kontext, in dem diese Sätze stehen. Sie lesen und verwenden isolierte Passagen – ohne das ganze textliche Umfeld mitzubedenken. Sie entstellen und pervertieren in ihrer Exegese den Islam – darin sind sich die muslimischen Gelehrten einig.

Die Gewalt des IS entlädt sich nicht plötzlich. Die ausführenden Marionetten, all die Menschen, die zu Selbstmordanschlägen oder zum Krieg in Syrien und im Irak manipuliert werden, sie müssen geschult werden in den Blick-Regimen, die andere nur noch als Feinde sehen können, die getötet werden dürfen ohne Strafe. Die Muster, in die sich der Hass ausgießt, gegen Frauen, gegen Juden, gegen Homosexuelle, gegen Shiiten und alle Muslime, die als Abtrünnige ausgesondert werden, diese Muster werden in zahllosen Schriften und Videos, in Predigten und Gedichten gefertigt und in Gesprächen, im Netz und auf der Straße verbreitet.

Wie schon zu Anfang dieses Buches gesagt: Hass und Gewalt nicht allein zu verurteilen, sondern in ihrer Funktionsweise zu betrachten, heißt immer auch zu zeigen, wo etwas *anderes* möglich gewesen wäre, wo jemand sich hätte *anders* entscheiden können, wo jemand hätte *einschreiten*, wo jemand hätte *aussteigen* können. Den Hass und die Gewalt nicht einfach nur abzulehnen, sondern zu beobachten, mit welchen rhetorischen Strategien, mit welchen Metaphern oder Bildern der Hass generiert und kanalisiert wird, birgt immer auch die Überzeugung, jene Stellen in den Mustern der Erzählung zu markieren, an denen sie unterbrochen oder unterwandert werden können.[53]

Selbst diejenigen, die argumentieren, beim IS handele es sich weniger um eine Radikalisierung von Islamisten als um eine Islamisierung von Radikalen, müssen analysieren, wie es dem Terror-Netzwerk gelingt, Anhängerinnen und Anhänger aus gänzlich heterogenen Umfeldern zu rekrutieren und sie für eine nihilistische Theologie zu mobilisieren. Sich mit den diskursiven und bildpolitischen Strategien des IS, mit ihrer Ideologie und ihrem Selbstverständnis zu befassen, ist nicht zuletzt auch die Voraussetzung aller militärischen und polizeilichen Terrorismus-Bekämpfung. In vertraulichen Einschätzungen äußerte sich 2015 der Kommandeur der amerikanischen Spezialkräfte im Nahen Osten, Generalmajor Michael K. Nagata, zu den bisherigen Problemen des Anti-Terror-Kampfes: »Wir verstehen die Bewegung nicht, und bevor wir das nicht tun, werden wir sie nicht besiegen. Wir haben die Idee nicht besiegt. Wir haben die Idee nicht einmal verstanden.«[54]

Wenn es um den Nährboden des Hasses (und nicht nur um Terrorismus und die organisierte Gewalt) geht, wenn es um die Mechaniken der Exklusion geht, die Prozesse eines zunehmend radikalen Denkens, die frühzeitig erkannt werden sollten – dann sind auch überall das soziale Umfeld, die Nachbarschaft, der Freundeskreis, die Familie, die Netz-Community mit gefordert in dem Bemühen um Prävention von Fanatismus. Eine solche Perspektive auf die Strukturen, die den Hass bedingen und kanalisieren, auf die Diskurse, die die Gewalt vorab legitimieren und nachträglich honorieren, verbreitert die zivilgesellschaftlichen Aufgaben und Handlungsmöglichkeiten. Sie delegiert den Widerstand gegen Fanatismus nicht allein an die Sicherheitsdienste, die einschreiten müssen, wenn sich Hinweise auf mögliche Straftaten verdichten. Sondern die Aufgabe, eine offene, plurale Gesellschaft zu verteidigen, in der religiöse und politische und sexuelle Vielfalt gedeihen kann, kommt allen zu.

*

Auch wenn der Aufstieg des IS im historischen Kontext der politischen und sozialen Entwicklungen im Irak und in Syrien der vergangenen Jahre situiert werden muss, so soll hier der IS als revolutionäre-ideologische Erneuerung des salafistischen Dschihad betrachtet werden. Folgt man Fawaz A. Gerges von der London School of Economics, sind es im wesentlichen drei Dokumente oder Schriften, die das salafistisch-dschihadistische Weltbild des IS begründen und konturieren: Zum einen das 286 Seiten umfassende Manifest *The Management of Savagery* von Abu Bakr Najji aus den frühen 2000er Jahren; zum anderen die *Introduction to the Jurisprudence of Jihad* von Abu Adbullah Muhajjer und drittens *The Essentials of Making Ready* von Sayyid Imam Sharif, alias Dr. Fadl.[55] Die wenigsten, die sich dem IS anschließen oder sich durch ihre Mordtaten zum IS bekennen, werden diese Dokumente studiert haben. Trotzdem sind sie enorm aufschlussreich, um das Selbstverständnis des IS zu verstehen. Bekannter dürften schon die wenigen Reden ihres Anführers Abu Bakr al-Bagdadi sein und die Audio-Botschaften, die Abu Mohammed al-Adnani, der offizielle Sprecher des IS, über die verschiedenen Medien-Kanäle verbreitet.[56] Folgt man dem ZEIT-Autor und Terrorismusexperten Yassin Musharbash, gehören auch noch die Reden des Gründers von al-Qaida im Irak, Abu Musab al-Zarqawi, dazu.[57] Besonders populär sind schließlich die aufwendig inszenierten Propaganda-Filme wie zum Beispiel der 36-minütige *Upon the Prophetic Methodology* vom August 2014.[58]

Was ist das nun für eine Geschichte, die der IS über sich selbst erzählt? Was für ein Wir wird da behauptet und erfunden – und wie formt sich jenes Raster des Hasses, das Menschen motiviert und befähigt, andere zu foltern und zu töten? Das Erste, was auffällt, wenn man die grundlegenden Schriften und Reden des IS liest, ist das Versprechen der Inklusion. In seiner Rede aus dem Jahr 2012 mit dem Titel *A Message to the Mujahidin and the Muslim Ummah in the Month of Ramadan* klingt das bei Abu Bakr al-Bagdadi so: »Ihr habt einen Staat und ein Kalifat, wo Araber und Nicht-Araber, weiße Männer und schwarze Männer, Männer aus dem Osten und Männer aus dem Westen alle Brüder sind.«[59] Das widersprüchliche Selbstverständnis des IS behauptet sich als Staat, aber als potentiell offenes territoriales Gebilde, das die Grenzen von bestehenden Nationalstaaten nicht respektiert.[60] Der IS schafft über bestehende Nationalstaaten hinweg ein Kalifat, dessen Gebiet flexibel und dessen Anziehungskraft offen sein soll. »Der Islamische Staat anerkennt weder künstliche Grenzen noch irgendeine Staatsbürgerschaft außer der des Islam.« Und so spricht al-Bagdadi mit seiner Botschaft an die Mujahidin ein eindeutig *transnationales Wir* an. Araber und Nicht-Araber, weiße und schwarze Gläubige, aus dem Osten oder aus dem Westen sollen sich zusammenschließen – im Kampf gegen den Säkularismus, gegen Idolatrie, gegen »die Ungläubigen«, gegen »die Juden« und »die, die sie beschützen«.

Der Hass des IS ist zunächst einmal ein Gleichmacher. Es werden (fast) alle aufgerufen, sich der Avantgarde des Dschihad des IS anzuschließen: Junge und Alte, Männer und Frauen, aus den arabischen Nachbarstaaten, aus Tschetschenien, aus Belgien, Frankreich und Deutschland, ihre Hautfarbe spielt so wenig eine Rolle wie ihre soziale Herkunft, sie dürfen Schulabbrecher oder Abiturienten sein, Offiziere aus der früheren irakischen Armee unter Saddam Hussein oder militärische Laien.[61] Wer sich eingliedern will, wer sich bekennen will zu der von al-Bagdadi propagierten Doktrin, der ist willkommen und dem wird der Lohn der Herrschaft über andere versprochen: »Muslime werden überall die Herrscher sein.«[62]

Während die Ideologie des IS also eine vermeintliche Offenheit gegenüber allen behauptet, die sich ihm anschließen wollen, wird zugleich ein höherer Status versprochen. Wer sich zum IS bekennt, soll mächtig oder zumindest frei werden. Alle anderen werden herabgestuft. So erklärt sich der IS einerseits als *Gleichmacher*, will sich aber andererseits als *Instrument der Distinktion* präsentieren. Mit dem IS soll eine dschihadistische Avantgarde mit imperialen Ambitionen ausgezeichnet werden, die eine »ursprüngliche« Form des Islam wieder-beleben (und mit Gewalt durchsetzen) will, die den frommen Altvorderen (»as-Salaf aṣ-Ṣāliḥ«) zugeschrieben wird. Ob diese genealogische Berufung auf eine mittelalterliche Version des Islam tatsächlich historisch akkurat oder nicht vielmehr eine gänzlich zeitgenössische Erfindung ist, bleibt fraglich. Entscheidend ist die Rhetorik der Rückkehr und des Aufbruchs zu einem vermeintlich »wahren« Islam.[63]

Gleichzeitig aber handelt es sich hier ausdrücklich um das Projekt eines sunnitischen Islam. Der schiitische Islam wird als kategorial Anderer denunziert und verachtet. Es ist eine paradoxe Vision eines sunnitischen Pan-Islamismus, der einerseits eine hyper-sunnitische Identitätspolitik betreibt und zugleich einen universalen Dschihadismus predigt.[64] Der IS präsentiert sich als gleichzeitig entgrenzt und begrenzt, als einschließend und ausschließend, als inklusive Exklusivität. »Mit der Behauptung von Reinheit oder Verschmutzung verbinden sich Auseinandersetzungen über den eigenen Status«, schreibt die Anthropologin Mary Douglas in ihrer Studie über Reinheit und Gefahr.[65] Der IS will mit seinem Kult des Reinen den höchstmöglichen Status beanspruchen.

In eben diesem doppelten Versprechen, nämlich der voraussetzungslosen Einladung, zu einem zeitlosen Wir gehören zu dürfen und sich darin zugleich als »besserer«, als »wahrer«, als »echter« Muslim fühlen zu können, liegt vermutlich die große Attraktion. Für all jene muslimischen Europäer, die sich nirgendwo zugehörig und nirgendwo als Teil einer historischen Aufgabe begreifen, besteht darin der inklusive Sog. Für diejenigen, die ausgeschlossen werden, weil sie immer als Bürger zweiter Klasse behandelt werden, für diejenigen, die in dem Versprechen von Freiheit, Gleichheit und Brüderlich-

keit nur hohle Begriffe erkennen können, für diejenigen, die
arbeitslos oder in kriminellem Milieu dahinleben ohne Aussicht auf einen Job, für diejenigen, die schlicht nichts mit sich
und ihrem Leben anzufangen wissen, für diejenigen, die nach
Sinn suchen oder auch nur nach irgendeinem Kick, für all
diese Menschen mag eine solche Einladung vielversprechend
klingen. Sie lassen sich anlocken von der Simulation einer
Gemeinschaft, in der angeblich alle willkommen sind, die
aber so anti-individualistisch und autoritär geordnet ist, dass
jeder und jede Einzelne letztlich seiner und ihrer Singularität
beraubt wird. Zwar verspricht der IS individuellen Ruhm,
und vor allem Medien wie die Online-Zeitschrift *Dabiq* wid-
men sich der Nacherzählung persönlicher Geschichten einzelner Kämpfer und ihrer militärischen Operationen, aber
das System des IS bestraft unerwünschte Abweichungen oder
»Illoyalitäten« skrupellos.[66]

Zu realen oder eingebildeten Gegnern dieses ultra-konserva-
tiven Projekts der radikalen (Selbst-)Reinigung werden nicht
nur Christen oder Juden erklärt, sondern alle, die mit dem
Vorwurf der Apostasie ausgegrenzt werden. Das Manifest
des *Management of Savagery* definiert die eigene Mission als
eine Befreiung der Gemeinschaft der Muslime von der »De-
gradierung«, die sie befallen hat. Für den Niedergang des Islam werden keineswegs nur »der Westen« oder die früheren
Kolonialmächte verantwortlich gemacht, sondern auch all
die Ablenkungen, denen die muslimischen Gläubigen erlegen

sind. »Die Macht der Massen wurde eingeschränkt und ihr Selbstbewusstsein durch zahllose Ablenkungen geschwächt.«[67] Das Manifest ist voller Verachtung für all jene Muslime, die sich abbringen lassen von ihrer Verpflichtung Gott gegenüber. Zu den Faktoren, die Gläubige angeblich ungebührlich schwächen, zählen die »Lüste der sexuellen Organe und des Magens«, das Streben nach Reichtum und die »trügerischen Medien«. Was immer Muslime abhalten mag von der reinen Verehrung des Einen Gottes wird als verkommen oder »schmutzig« tituliert. Die Ordnung, die der IS mit Gewalt herstellen will, ist eine rigoros fromme, von allen schädlichen Leidenschaften hygienisch befreite.[68]

Es ist ein apokalyptisches Narrativ, das die Schriften, auf die sich der IS beruft, verbreiten: In mehreren Stufen soll die Gewalt des offensiven Djihad qualitativ und strategisch eskalieren. Jedes Chaos, jede Instabilität ist auf dem Weg zur angestrebten Ordnung der Herrschaft Gottes ausdrücklich erwünscht. Der Feind soll »massakriert und heimatlos« gemacht werden. Jede Nachsicht, jeder Zweifel am Mittel der Gewalt, wird als falsche Weichheit abgewertet: »Wenn wir in unserem heiligen Krieg Gewalt vermeiden und wir weich werden, wird das wesentlich dazu beitragen, dass wir an Stärke verlieren.«[69]

Es ist ein dualistisches Weltbild, das nur das absolut Böse und das absolut Gute kennt. Jedes Dazwischen, jede Differenzierung, jede Ambivalenz fehlen. Das kennzeichnet alle Fundamentalisten und Fanatiker: dass sie keinerlei Zweifel an den eigenen Positionen zulassen. Jede Überlegung, jedes Argument, jedes Zitat muss in absoluter Eindeutigkeit gelten. Und das zeichnet autoritäre Regime aus: dass sie keinen sozialen oder politischen Raum für Dissens lassen. So erklärt sich auch, warum selbst die noch so grausamsten Massaker, warum noch jedes Kopfabschneiden oder Verbrennen von Gefangenen erklärt und »gerechtfertigt« wird. Das ist vielleicht das Erstaunlichste, wenn man sich einige der Hinrichtungs-Videos des IS anschaut: dass sie tatsächlich ausgesprochen »didaktisch« daherkommen. Dass sie jede noch so brutale Handlung, jedes noch so unerträgliche Zurschaustellen der eigenen Menschenverachtung »pädagogisch« aufbereiten und mit »Begründungen« versehen. Immer werden Hinrichtungen oder auch das mutwillige Zerstören schiitischer Moscheen oder Gebäude in eine Erzählung gebettet, die sie als »notwendig« behauptet. Noch bei der willkürlichsten Gewalt soll unbedingt der Eindruck der willkürlichen Gewalt vermieden werden. Jede Lust an der Inszenierung, jede sadistische Freude am Quälen von Menschen muss um den individuellen und subjektiven Faktor bereinigt werden. Jede Tat im Namen des IS soll, so die Erzählung, eine theologisch erklärbare Form, einen salafistisch-dschihadistischen »Grund« haben. Ein lustvolles Verhältnis zur Gewalt, das ganz offensichtlich bei einigen vorliegt, reicht nicht aus. Die Gewalt muss mit Sinn aufgeladen werden. Nicht, dass diese »Gründe«, die angeführt werden, stimmten. Entscheidender ist vielmehr, dass Hass und Gewalt nie zufällig, sondern immer absichtsvoll und kontrolliert erscheinen sollen. Der Terror soll als logischer Terror einer Ordnung auftreten, die sich als legitime Autorität in jedem einzelnen Akt spiegeln will. Diese permanenten Selbsterklärungen haben einen doppelten Adressaten und eine doppelte Botschaft: Einerseits signalisieren sie nach außen, dass hier nicht bloß eine planlose Guerillagruppe, sondern ein machtvoller, rechtmäßiger Staat agiert, der technisch versiert mit aller popkulturellen Ästhetik zu kommunizieren in der Lage ist. Andererseits signalisieren sie nach innen, dass hier kein Raum für selbständige Entscheidungen oder gar demokratische Ambitionen gelassen wird. Mit der ununterbrochenen Kommunikation wird auch ein hegemonialer Diskurs etabliert, der jederzeit die totalitäre Herrschaft des IS verkündet.

*

Nun verfolgt der IS seinen *Kult des Reinen* nicht nur auf einer vertikalen ideologischen Achse, sondern auch auf einer horizontalen. Einerseits betreibt der IS, wie beschrieben, sein rigoroses Programm in theologisch-genealogischer Richtung. Es wird an die Praktiken und Überzeugungen der Altvorderen erinnert (oder sie werden als vorbildlich für das Heute erfunden). Andererseits aber richtet sich die Ambition der Reinigung auch auf die kulturell hybriden Gesellschaften der Gegenwart, ob in arabischen Ländern oder in Europa. Der kategorial Andere, das Schmutzige und Unreine, sind nicht nur die vermeintlich abtrünnigen, korrumpierten Verformungen des Islam, sondern das ist vor allem die aufgeklärte Moderne mit ihrem säkularen Staatsverständnis, das eine Vielfalt der Religionen und Kulturen möglich macht. Das ist für das Dogma des IS das wirklich *absolut Andere*: Pluralität, religiöses Miteinander in Vielfalt, eine Staatsbegründung entkoppelt von einer partikularen Religion, sondern dezidiert säkular.

In einer Botschaft des früheren IS-Anführers Abu Omar al-Bagdadi, *Say I am on clear proof from my Lord* aus dem Jahr 2007, heißt es: »Wir glauben, dass der Säkularismus trotz seiner unterschiedlichen Flaggen und Parteien klarer Unglaube ist und dem Islam entgegensteht, und wer ihn praktiziert, ist kein Muslim.«[70] Das ist eine interessante Textstelle. Für den IS muss Säkularismus zum Unglauben erklärt werden, als etwas, das angeblich dem Islam entgegenstehe. Nun ist aber Säkularismus keine Religion. Und es ist bemerkenswert, dass der IS trotzdem meint, das ausdrücklich negieren zu müssen. Ja, der damalige Führer des IS betont, dass die »Praxis des Säkularismus« unislamisch sei und sich für einen Muslim nicht gehöre. Das klingt, als sei Säkularismus eine individuelle Praxis. Als verlangte der Säkularismus das rituelle Beten oder Pilgern. Das ist kurios: Denn der Säkularismus bezieht sich auf die Verfasstheit eines Staates, der seine Autorität als ausdrücklich nach-metaphysisch und entkoppelt von einer jeden kirchlichen Macht versteht.

Die Ideologie der Reinheit lässt das nicht zu: dass es verschiedene religiöse Überzeugungen und Praktiken nebeneinander geben könnte. Dass ein Staat sich als aufgeklärt und eben jenseits einer einzelnen religiösen Konfession für alle gleichermaßen zuständig verstehen könnte. Dass eine Gesellschaft sich eine demokratische, säkulare Ordnung geben könnte, in der alle die gleichen subjektiven Rechte besitzen, alle ihre partikularen, religiösen Praktiken und Überzeugungen leben dürfen, allen dieselbe Würde zukommt. Nichts scheint dem IS mehr zuwider zu sein als kulturelle oder religiöse Mischung. Alles Hybride, alles Plurale steht diesem Fetischismus des Reinen entgegen. Darin ähneln die fanatischen Ideologen des IS denen der neuen Rechten in Europa: das kulturell »Unreine«, das friedliche Miteinander verschiedener Glaubensrichtungen machen sie als feindlich aus. Dass der Islam zu Europa gehören könnte, dass Muslime in den offenen Demokratien Europas genauso anerkannt sein könnten wie andere Gläubige oder Atheisten auch, die die jeweilige Verfassung respektieren – das ist für sie so undenkbar wie unerwünscht.

So erklärt sich auch, weshalb der IS im Verlauf der humanitären Krise der Geflüchteten und ihrer Aufnahme in Europa aktive Propaganda gegen die Politik Angela Merkels betrieb. In mindestens fünf Video-Botschaften wurden Warnungen an die Geflüchteten ausgesprochen, sie sollten nicht nach Europa ziehen.[71] Muslime, die neben Juden, Christen und »Ungläubigen« leben, werden in diesen Botschaften scharf kritisiert. Anders als die rechten Agitatoren suggerieren, bedeutet die humanitäre Geste gegenüber den Geflüchteten keine Unterstützung des IS, sondern im Gegenteil jede Geste, jedes Gesetz, jede Handlung, die muslimischen Geflüchteten ein faires Verfahren, ein offenes Willkommen, eine reale Chance auf Inklusion in Europa anbietet, stellt eine direkte Bedrohung der islamistischen Ideologie dar. Dass der IS die Flüchtlingsrouten auch nutzt, um potentielle Attentäter nach Europa zu schleusen, ist aus polizeitaktischen und sicherheitspolitischen Gründen eine nicht zu unterschätzende Gefahr. Aber das ändert nichts an der programmatischen und militärischen Strategie des IS, der mit seinen Anschlägen wie seiner Propaganda ausschließlich eine Polarisierung in Europa erzielen will. Eine Spaltung in ein muslimisches und ein nicht-muslimisches Europa ist das ausdrückliche Etappenziel des Dschihad. Die perverse, aber stringente Rationalität des IS erhofft sich von jedem Anschlag in Europa oder in den USA, dass die Öffentlichkeit die muslimische Bevölkerung des jeweiligen Landes anschließend möglichst kollektiv bestraft. Muslime sollen in den modernen säkularen Staaten unbedingt unter Generalverdacht gestellt werden, sie sollen isoliert und ausgegrenzt werden – denn nur so lassen sie sich aus den modernen Demokratien abspalten und herauslösen und schließlich dem IS zuführen. Jede Stimme, die nach einem islamistischen Anschlag alle Muslime verdammt, jede Stimme, die Muslimen ihre Grundrechte oder ihre Würde absprechen, jede Stimme, die Muslime nur mit Gewalt und

Terror assoziieren will, erfüllt exakt den islamistischen Traum von einem gespaltenen Europa und huldigt unfreiwillig dem Kult des Reinen.

Für ein aufgeklärtes Europa wird es daher entscheidend sein, sich weiterhin der säkularen, offenen Moderne verpflichtet zu fühlen. Es wird darauf ankommen, weiterhin kulturelle und religiöse und sexuelle Vielfalt nicht nur zu dulden, sondern auch zu feiern. Nur in der Vielfalt blüht die Freiheit des individuell auch Abweichenden, Dissidenten. Nur in einer liberalen Öffentlichkeit bleibt der Raum für Widerspruch, für Selbstzweifel und auch Ironie als Genre des Uneindeutigen erhalten.

*

3. LOB DES UNREINEN

»›Wir‹ ist weder Addition noch
Nebeneinander der ›Ich‹.«

Jean-Luc Nancy, Singulär plural sein

In den 28 Bänden der *Enzyklopädie*, dem Kompendium des
Wissens der Aufklärung, das Denis Diderot und Jean-Bap-
tiste Le Rond d'Alembert zwischen 1752 und 1772 herausga-
ben, findet sich eine Definition von Fanatismus, die bis heute
gültig ist. »Fanatismus ist ein blinder und leidenschaftlicher
Eifer«, heißt es in dem von Alexandre Deleyre verfassten Eintrag, »der abergläubischen Anschauungen entspringt und
dazu führt, dass man nicht nur ohne Scham und Reue, sondern gar mit einer Art Freude und Genugtuung lächerliche,
ungerechte und grausame Handlungen begeht.«[1] Das eint
auch die Fanatiker der Gegenwart, seien sie pseudo-religiöse
oder politische Eiferer: dass sie sich Dogmen und Aberglau-
ben zurechtlegen, die Hass entzünden und »begründen«. Und
dass sie ohne Scham und Reue mal nur lächerliche Positionen
vertreten, mal ungerechte und mal grausame Handlungen begehen. Manchmal wirkt ihr blindes Propagieren noch der un-
sinnigsten Verschwörungstheorien eher belustigend. Aber die

187

Heiterkeit schwindet bald, wenn dieser Aberglaube tatsächlich eine Doktrin festigt, die andere zu mobilisieren vermag. Wenn Hass geschürt wird, um Menschen einzuschüchtern, um sie zu denunzieren und zu stigmatisieren, ihnen öffentlichen Raum und Sprache zu nehmen, sie zu verletzen und anzugreifen – dann ist das alles andere als amüsant und lächerlich. Ob der Fanatismus sich mit der Vorstellung einer homogenen Nation verbindet, einer rassistischen Konzeption von Zugehörigkeit zu einem als *ethnos* verstandenen »Volk« oder ob er sich mit einer pseudo-religiösen Idee von »Reinheit« verkoppelt, all diese Doktrinen eint die illiberale Mechanik von willkürlich-absichtsvoller Inklusion und Exklusion.

Wenn Fanatiker in ihrem Dogmatismus von etwas abhängig sind, dann von Eindeutigkeit. Sie brauchen eine reine Lehre von einem »homogenen« Volk, einer »wahren« Religion, einer »ursprünglichen« Tradition, einer »natürlichen« Familie und einer »authentischen« Kultur. Sie brauchen Passworte und Codes, die keinen Einspruch, keine Uneindeutigkeit, keine Ambivalenz zulassen – und eben darin liegt ihre größte Schwäche. Das Dogma des Reinen und Schlichten lässt sich nicht durch mimetische Anpassung bekämpfen. Es ist aussichtslos, dem Rigorismus mit Rigorismus, den Fanatikern mit Fanatismus, den Hassenden mit Hass zu begegnen. Demokratiefeindlichkeit lässt sich nur mit demokratischen, rechtsstaatlichen Mitteln bekämpfen. Wenn die liberale, offene Gesellschaft sich verteidigen will, dann kann sie das nur, indem sie liberal und offen bleibt. Wenn das moderne, säkulare, plurale Europa angegriffen wird, dann darf es nicht aufhören, modern, säkular und plural zu sein. Wenn religiöse und / oder rassistische Fanatiker eine Spaltung der Gesellschaft in Kategorien aus Identität und Differenz beabsichtigen, dann braucht es solidarische Allianzen, die in Ähnlichkeiten unter Menschen denken. Wenn fanatische Ideologen ihr Weltbild nur in groben Vereinfachungen präsentieren, dann kann es nicht darum gehen, sie in Schlicht- und Grobheit zu überbieten, sondern dann braucht es Differenzierung.

Dazu gehört auch, den Essentialismus der Fanatiker nicht ebenfalls mit essentialistischen Unterstellungen zu beantworten. Die Kritik an und der Widerstand gegen Hass und Missachtung sollte sich deswegen immer auf die Strukturen und Bedingungen von Hass und Missachtung richten. Es geht nicht darum, Personen als Menschen zu dämonisieren, sondern ihre sprachlichen und nicht-sprachlichen Handlungen zu kritisieren oder zu verhindern. Und wenn es sich um justitiable Verbrechen handelt, gehören natürlich die Täter und Täterinnen rechtsstaatlich verfolgt und, wenn möglich, verurteilt. Um dem Hass und dem Fanatismus der Reinheit zu begegnen, braucht es aber auch zivilgesellschaftlichen (und zivilen) Widerstand gegen die Techniken des Ausgrenzens und Eingrenzens, gegen die Raster der Wahrnehmung, die manche sichtbar und andere unsichtbar machen, gegen die Blick-Regime, die Individuen nur noch als Stellvertreter von Kollektiven gelten lassen. Es braucht mutigen Einspruch gegen all die kleinen und gemeinen Formen der Demütigung und der Erniedrigung ebenso wie Gesetze und Praktiken des Beistands und der Solidarität mit denen, die ausgeschlossen werden. Dazu braucht es andere Erzählungen, in denen andere Perspektiven und andere Menschen wahrnehmbar gemacht werden. Nur wenn die Raster des Hasses ersetzt werden, nur wenn »Ähnlichkeiten entdeckt (werden), wo vorher nur Differenzen gesehen (wurden)«, kann Empathie entstehen.[2]

Dem Fanatismus und Rassismus muss nicht nur in der Sache, sondern auch in der Form widerstanden werden. Das bedeutet eben *nicht*, sich selbst zu radikalisieren. Das bedeutet eben *nicht*, mit Hass und Gewalt das herbeiphantasierte Bürgerkriegsszenario (oder das einer Apokalypse) zu befördern. Es braucht vielmehr ökonomische und soziale Interventionen an den Orten und in den Strukturen, wo jene Unzufriedenheit entsteht, die in Hass und Gewalt umgeleitet wird. Wer Fanatismus präventiv bekämpfen will, wird nicht darauf verzichten können, sich zu fragen, welche sozialen und ökonomischen Unsicherheiten mit der falschen Sicherheit pseudo-religiöser oder nationalistischer Dogmen überdeckt werden. Wer den Fanatismus präventiv bekämpfen will, wird sich fragen müssen, warum so vielen Menschen ihr Leben so wenig wert ist, dass sie bereit sind, es für eine Ideologie hinzugeben.

Vor allem aber braucht es ein Plädoyer für das Unreine und Differenzierte, denn das ist es, was die Hassenden und die Fanatiker in ihrem Fetischismus des Reinen und Schlichten am meisten irritiert. Es braucht eine Kultur des aufgeklärten Zweifels und der Ironie. Denn das sind Genres des Denkens, die den rigoristischen Fanatikern und rassistischen Dogmatikern zuwider sind. Ein solches Plädoyer für das Unreine muss mehr sein als nur ein leeres Versprechen. Es braucht nicht nur eine Behauptung von Pluralität in den europäischen Gesellschaften, sondern ernsthafte politische, ökonomische, kulturelle Investitionen in ein solches inklusives Miteinander. Warum? Warum Pluralität wertvoll sein soll? Ersetzt so nicht eine Doktrin eine andere? Was bedeutet Pluralität für diejenigen, die fürchten, kulturelle oder religiöse Vielfalt würde sie in ihren eigenen Praktiken und Überzeugungen beschränken?

»Sofern wir im Plural existieren«, schrieb Hannah Arendt in *Vita Activa*, »und das heißt sofern wir in dieser Welt leben, uns bewegen und handeln, hat nur das Sinn, worüber wir miteinander und wohl auch mit uns selbst sprechen können, was im Sprechen einen Sinn ergibt.«[3] Für Hannah Arendt ist die Pluralität zunächst einmal ein nicht hintergehbares empirisches Faktum. Es existiert schlicht kein Mensch einzeln und isoliert, sondern wir leben in der Welt in einer größeren Zahl, eben im Plural. Nun bedeutet Pluralität in der Moderne aber nicht Vervielfältigung eines Urmodells, einer vorgegebenen

191

Norm, der alle anderen sich anzugleichen haben. Sondern die *condition humaine* und das menschliche Handeln zeichnen sich für Arendt durch jene Pluralität aus, »in der zwar alle dasselbe sind, nämlich Menschen, aber dies auf die merkwürdige Art und Weise, dass keiner dieser Menschen je einem anderen gleicht, der einmal gelebt hat, lebt oder leben wird«.[4] Diese Beschreibung widerspricht elegant der sonst so gängigen Vorstellung von Identität und Differenz. Hier geht es vielmehr sowohl um gemeinsame Zugehörigkeit zum universalen Wir als Menschen als auch gleichzeitig um Einzigartigkeit als unverwechselbare Individuen. Der Plural, von dem hier die Rede ist, ist kein statisches Wir, eine Masse, die sich zwangsweise selbst homogenisiert. Sondern der Plural in der Tradition Hannah Arendts ist einer, der sich aus der Vielfalt individueller Besonderheiten bildet. Alle ähneln einander, aber niemand gleicht einem oder einer anderen – das ist die »merkwürdige« und bezaubernde Bedingung und Möglichkeit von Pluralität. Jede Normierung, die zu einer Bereinigung der Singularität der einzelnen Menschen führt, widerspricht einem solchen Begriff von Pluralität.

Bei Jean-Luc Nancy heißt es: »Das Singuläre ist von vornherein jeder Einzelne, folglich jeder mit und unter allen anderen.«[5] Das Singuläre ist demnach nicht das egoistisch Einzelne. Und das Plurale ist nicht bloß »Addition oder Nebeneinander der ›Ich‹«. Individualität ist nur im Mit- und Füreinander erkennbar und realisierbar. Allein ist niemand einzigartig, sondern nur allein. Es braucht das soziale Miteinander, in dem sich die eigenen Wünsche und Bedürfnisse spiegeln oder brechen. Ein Wir, das sich nur als monochrome Einheit versteht, enthält weder Vielfalt noch Individualität. Das heißt: Kulturelle oder religiöse Vielfalt, eine heterogene Gesellschaft, ein säkularer Staat, der die Bedingungen und Strukturen schafft, damit verschiedene Lebensentwürfe darin gleichwertig existieren können, schränkt die individuellen Überzeugungen nicht ein, sondern ermöglicht und schützt sie erst. *Pluralität in einer Gesellschaft bedeutet nicht den Verlust der individuellen (oder kollektiven) Freiheit, sondern garantiert sie erst.*

Pseudoreligiöse Fanatiker und völkische Nationalisten zeichnen gern ein anderes Bild: Sie fordern ein homogenes, ursprüngliches, reines Kollektiv und suggerieren, es böte mehr Schutz oder größere Stabilität. Sie behaupten, eine plurale Gesellschaft gefährde den Zusammenhalt und unterwandere eine von ihnen geschätzte Tradition. Dem sei zum einen entgegnet: Auch die Idee des säkularen Staates gehört zur Tradition. Nämlich zur Tradition der Aufklärung. Und auch eine Tradition ist *gemacht*. Zum anderen: Die Doktrin einer reinen, homogenen Nation garantiert keineswegs Stabilität, weil sie zunächst einmal aussortiert, was als angeblich »fremd« oder »feindlich« oder »unecht« deklariert wird. Gerade der essentialistisch aufgeladene Begriff von Gemeinschaft bietet keinen Schutz. Nur eine liberale Gesellschaft, die sich als offene und plurale versteht, die keine Vorgaben hinsichtlich religiöser oder atheistischer Lebensentwürfe macht, schützt auch die individuell abweichenden Überzeugungen oder Körper, die devianten Vorstellungen und Praktiken vom guten Leben, von Liebe oder vom Glück. Das ist nicht einfach ein rationales oder normatives Argument, wie gern unterstellt wird. Sondern das Plädoyer für das Unreine adressiert die affektiven Bedürfnisse von Menschen als verletzbare und auch verunsicherbare Wesen. Die kulturelle Vielfalt einer modernen Gesellschaft anzuerkennen bedeutet ja nicht, dass die einzelnen Lebensentwürfe, die einzelnen Traditionen oder religiösen Überzeugungen darin keinen Platz hätten. Eine globalisierte Wirklichkeit anzuerkennen bedeutet ja nicht, respektlos gegenüber den jeweiligen Vorstellungen vom guten Leben zu sein.

Mich persönlich *beruhigt* kulturelle oder religiöse oder sexuelle Verschiedenheit in einem säkularen Rechtsstaat. Solange ich diese Verschiedenheit im öffentlichen Raum sehe, so lange weiß ich auch die Freiheitsräume gewahrt, in denen ich als Individuum mit all meinen Eigenheiten, meinen Sehnsüchten, meinen möglicherweise abweichenden Überzeugungen oder Praktiken geschützt werde. Ich fühle mich weniger verletzbar, wenn ich spüre, dass die Gesellschaft, in der ich lebe, verschiedene Lebensentwürfe, verschiedene religiöse oder politische Überzeugungen zulässt und aushält. In diesem Sinne beruhigen mich auch jene Lebens- oder Ausdrucksformen, die mir persönlich eher fernstehen. Sie irritieren mich nicht. Sie machen mir auch keine Angst. Im Gegenteil: Mich beglücken die verschiedensten Rituale oder Feste, Praktiken und Gewohnheiten. Ob Menschen sich in Spielmannszügen oder bei den »Wagner-Festspielen« in Bayreuth, ob sie sich im Stadion von FC Union Berlin oder bei »*Pansy Presents* ...« im »Südblock« in Kreuzberg vergnügen, ob sie an die unbefleckte Empfängnis glauben oder an die Teilung des Roten Meers, ob sie Kippa tragen oder eine Lederhose oder *Drag* – die gelebte und respektierte Vielfalt der Anderen schützt nicht nur deren Individualität, sondern auch meine eigene. Insofern ist das Plädoyer für das Unreine nicht einfach eine »vernünftige«, rationalistische Doktrin für die plurale Verfasstheit einer säkularen Gesellschaft – auch wenn oft so argumentiert wird. Mir scheint es vielmehr zentral zu sein, auch die affektiven Vorzüge zu betonen: Die kulturelle oder religiöse oder sexuelle Vielfalt bedeutet nicht per se einen Verlust an Zugehörigkeitsgefühl oder emotionaler Stabilität, sondern im Gegenteil einen Gewinn. Die soziale Bindungskraft einer offenen, liberalen Gesellschaft ist nicht geringer als die in einer geschlossenen, monokulturellen Provinz. Die affektive Bindung bezieht sich exakt darauf: in einer Gesellschaft zu leben, die meine individuellen Eigenheiten verteidigt und beschützt, selbst wenn sie nicht mehrheitsfähig, selbst wenn sie altmodisch, neumodisch, merkwürdig oder geschmacklos sind. Eine Gesellschaft, die sich als ausdrücklich offene und inklusive definiert und sich beständig selbstkritisch befragt, ob sie das wirklich in ausreichendem Maße ist, eine solche Gesellschaft erzeugt das

Vertrauen, nicht willkürlich ausgegrenzt oder angegriffen zu werden.

Wirklich im Plural zu existieren bedeutet wechselseitigen Respekt vor der Individualität und Einzigartigkeit aller. Ich muss nicht genauso leben oder glauben wollen wie alle anderen. Ich muss die Praktiken und Überzeugungen anderer nicht teilen. Sie müssen mir weder sympathisch noch verständlich sein. Auch darin besteht die enorme Freiheit einer wirklich offenen, liberalen Gesellschaft: sich nicht wechselseitig mögen zu müssen, aber lassen zu können. Dazu gehören ausdrücklich auch jene religiösen Vorstellungen, die manchem vielleicht irrational oder unverständlich erscheinen. Zu den subjektiven Freiheiten gehören ausdrücklich auch fromme Lebensentwürfe, die von der Mehrheit in einer offenen Gesellschaft vielleicht ebenso abweichen wie weniger traditionelle oder atheistische. Ein säkulares Staatsverständnis bedeutet keineswegs verordneten Atheismus für alle Bürgerinnen und Bürger. Entscheidend ist nur: Je weniger essentialistisch, je weniger homogen, je weniger »rein« die Gesellschaft sich versteht, desto geringer der Zwang, sich identitär verklumpen zu sollen.

Es ist in Vergessenheit geraten: Das Vokabular einer inklusiven, offenen Gesellschaft ist zunehmend ausgehöhlt oder verdrängt worden. Wir müssen wieder ausbuchstabieren, was das heißen kann und soll: *im Plural zu existieren.* Wenn wir wollen, dass das Miteinander einen Sinn ergibt – und zwar nicht nur für jene, die Schweinefleisch essen, sondern für alle –, dann müssen wir eine Sprache und Praktiken und Bilder finden für diese Pluralität. Nicht nur für die, die immer schon sichtbar und erwünscht waren, sondern auch für die anderen, über deren Erfahrungen oder Perspektiven gern geschwiegen wird.

Kommt es in einer solchen pluralen Gesellschaft zu Konflikten? Ja, selbstverständlich. Wird es unterschiedliche kulturelle oder religiöse Sensibilitäten geben? Ja, natürlich. Aber für diese Konflikte zwischen religiösen Anforderungen und den Kompromissen, die eine säkulare, plurale Gesellschaft wiederum von den Gläubigen verlangt, lassen sich keine allgemeingültigen Formeln finden. Vielmehr muss jeder einzelne Konflikt um jede einzelne Praxis konkret betrachtet werden, um abzuwägen: Warum ist dieses Ritual, diese Praxis bedeutsam für eine Religion? Wessen Rechte werden damit möglicherweise verletzt oder geleugnet? Wird Gewalt gegen eine Person ausgeübt? Mit welchem Recht kann eine solche Praxis verboten werden? Es ist eine philosophisch wie rechtlich hoch anspruchsvolle Debatte, mit welchen Gründen religiöse Praktiken sich in einer säkularen Gesellschaft öffentlich behaupten können und mit welchen Gründen sie eingeschränkt oder untersagt werden können. Die Frage der Grenzen der Religionsfreiheit, das Verhältnis von Säkularismus zu Demokratie verlangt noch eindringliche öffentliche Debatten. Ja, das ist mühsam, und es wird zu rechtlichen

Verboten von bestimmten Praktiken oder Ritualen kommen, die mit dem Grundgesetz unvereinbar sind (wie etwa Zwangsverheiratung von Minderjährigen). Aber diese Prozesse des Aushandelns gehören zum Kern einer demokratischen Kultur. Sie gefährden die Demokratie nicht, sie bestätigen sie als erfahrungsoffener, deliberativer Lernprozess. Das setzt voraus, dass jede und jeder einzelne Gläubige sich sowohl seinem Glauben gegenüber verpflichtet fühlt, aber eben auch der säkularen, pluralen Gesellschaft gegenüber. Das setzt voraus, dass jede und jeder einzelne Gläubige auch zu unterscheiden lernt zwischen partikularen Werten, die nicht verallgemeinerbar sind, und jenen grundgesetzlichen Normen, die für alle gelten, ganz gleich welchen Glaubens oder welcher Überzeugungen. Dazu gehört auch, dass die säkulare Gesellschaft prüft, wie säkular sie tatsächlich ist. Und ob manche Institutionen wie Gesetze nicht bestimmte Gläubige oder Kirchen eigentümlich bevorzugen. Um diese praktischen wie rechtsphilosophischen Konflikte auszuhalten und ihre Anwendungen zu verhandeln, braucht es nur ein gewisses Maß an Vertrauen in die Prozesse einer Demokratie.

Eine demokratische Gesellschaft ist eine dynamische, lernfähige Ordnung, und das setzt auch die individuelle wie kollektive Bereitschaft voraus, individuelle oder kollektive Irrtümer einzugestehen, historische Ungerechtigkeiten zu korrigieren und sich gegenseitig zu verzeihen. Eine Demokratie ist nicht einfach eine Diktatur der Mehrheit, sondern sie stellt ein

Verfahren bereit, in dem nicht nur beschlossen und gewählt, sondern auch gemeinsam erörtert und abgewogen wird. Sie ist eine Ordnung, in der immer wieder nachjustiert werden muss und kann, was nicht gerecht genug oder nicht inklusiv genug war. Dazu braucht es auch eine Fehlerkultur, eine öffentliche Diskussionskultur, die nicht allein durch wechselseitige Verachtung, sondern auch durch wechselseitige Neugierde geprägt ist. Irrtümer im eigenen Denken und Handeln zu erkennen ist für die politischen Akteure so elementar wie für die medialen oder zivilgesellschaftlichen. Sie sich gegenseitig auch einmal zu verzeihen – auch das gehört zur moralischen Textur einer lebendigen Demokratie. Gerade die strukturellen Bedingungen wie sozialen Gewohnheiten der Kommunikation in den sozialen Netzwerken verhindern leider zunehmend eine solche Diskussions-Kultur, in der es auch möglich ist, Fehler einzugestehen oder sich zu verzeihen.

In ihrer Frankfurter Poetik-Vorlesung schrieb die Dichterin Ingeborg Bachmann einmal vom Denken, »das zuerst noch nicht um Richtung besorgt ist, einem Denken, das Erkenntnis will und mit der Sprache und durch die Sprache etwas erreichen will. Nennen wir es vorläufig: Realität.«[6] Das gilt auch für eine demokratische Öffentlichkeit und Kultur, in der nicht immer schon die Richtung vorgegeben oder bekannt ist, sondern in der auch offen und selbstkritisch gedacht und debattiert werden kann und muss. Je polarisierter und entgrenzter die öffentliche Debatte ist, umso schwerer fällt es, dieses Denken, das noch nicht um Richtung bemüht ist, zu wagen. Aber genau diese Suche nach Erkenntnis braucht es. Genau die Suche nach den Tatsachen, nach jenen Beschreibungen der Wirklichkeit, die nicht vorgefiltert sind durch ideologische Ressentiments. Dabei kann und darf jede und jeder mitmachen. Es gibt keine spezifische Expertise für die Demokratie. Der Philosoph Martin Saar schreibt: »Denn die politische Freiheit und das demokratische Begehren der Freiheit kennt jeder, selbst der, dem sie vorenthalten wird.«[7]

*

Es wird sicherlich auch schwer werden, unterschiedliche historische und politische Erfahrungen und Erinnerungen der Menschen aus verschiedenen Herkunftsländern zu vereinen. Das lässt sich als potentielle Quelle von Konflikten nicht ignorieren. Es wird entscheidend sein, bestimmte moralische und politische Konstanten, wie das mahnende Gedenken an die Verbrechen des Nationalsozialismus, wieder neu zu erläutern und zu begründen. Sie müssen und können auch für diejenigen gelten, die mit der Shoah keine eigene familiäre Geschichte verbinden. Auch Migrantinnen und Migranten müssen sich mit dieser historischen Referenz, dem Schrecken der Geschichte dieses Landes befassen. Das heißt: Das Gedenken kann nicht einfach nur verordnet, sondern es muss auch erläutert werden, warum es für alle relevant sein kann und muss. Sie müssen die Möglichkeit bekommen, sich politisch und moralisch zu dieser Geschichte zu verhalten, sie auch als ihre zu begreifen – ohne die individuelle oder familiäre Verwobenheit mit Schuld und Scham. Auch zu ihnen gehört diese Geschichte, weil sie hier leben und Staatsbürgerinnen und Staatsbürger sind. Sich auszunehmen von dem Nachdenken über die Shoah hieße implizit, sich selbst auszuschließen aus der politischen Erzählung und dem Selbstverständnis dieser Demokratie.

»Es gibt kein Erinnern und keine Beziehung zur Geschichte, die nicht durch einen Wunsch, also durch etwas in die Zukunft Weisendes angeregt würde«, sagte der französische Kunsthistoriker und Philosoph Georges Didi-Huberman in einem Gespräch mit der Zeitschrift *Lettre*.[8] Dieser doppelten Richtung der Erinnerung, in die Vergangenheit und in die Zukunft zugleich, gilt es, sich gewahr zu sein. Nur jene Erinnerung, die dem furchtbaren Erbe der Geschichte auch eine vorwärtsgewandte Aufgabe entnimmt, kann wirken und lebendig bleiben. Nur eine Erinnerungskultur, die immer wieder neu die Hoffnung artikuliert, eine inklusive Gesellschaft zu schaffen, eine, die nicht zulässt, dass Einzelne oder ganze Gruppen als »fremd« oder »unrein« ausgesondert werden, kann lebendig bleiben. Nur das Erinnern, das auch in der Gegenwart aufmerksam bleibt für die Mechanismen von Ausgrenzung und Gewalt, kann vermeiden, dass es irgendwann bedeutungslos wird.

Was aber, wenn die historische Erfahrung, an die erinnert wird, und die Gegenwart, in der ihr eine gesellschaftliche und politische Aufgabe zukommen soll, immer weiter auseinanderrücken? Was, wenn die Zeuginnen und Zeugen, die sich persönlich erinnern, und die Nachgeborenen oder Verschonten, denen sie etwas erzählen können, sich immer weiter voneinander entfernen? Nicht nur im Alter, sondern auch in dem, was ihnen vertraut ist, was sie als Eigenes erleben und verstehen? Wie lässt sich das Gedenken an die Verbrechen des Nationalsozialismus auch in Zukunft wachhalten, ohne es auf etwas Statisches zu reduzieren? Diese Fragen bedrängen vor allem Jüdinnen und Juden – aber sie gehen alle in dieser Gesellschaft etwas an. Diese Fragen drängen sich nicht erst auf, seit mit den syrischen Geflüchteten eine bewusstere Reflexion auf die moralische Grammatik einer Einwanderungsgesellschaft stattfindet. Sie stellen sich auch durch die revanchistischen Parolen rechtspopulistischer Bewegungen und durch die tätlichen Angriffe auf Jüdinnen und Juden in der Öffentlichkeit. Es braucht keineswegs einen Generalverdacht des Antisemitismus gegenüber Syrern oder Sachsen, um sich zu fragen, wie eine Erinnerungskultur jenen vermittelt werden kann, die nicht mit ihr aufgewachsen sind oder die sie nur als verordnet empfinden.

Natürlich kommen mit den syrischen Geflüchteten auch andere Erfahrungen und andere Perspektiven auf den Staat Israel zu uns. Was die Geschichte des Holocaust bedeutet, welchen

Schmerz und welches Trauma, das ist weniger bekannt, als hierzulande vorausgesetzt wird. Das wird zu Irritationen führen. Und es wird nötig sein zu erläutern, welche Verbrechen hier geschehen sind und wie sie auch den Nachgeborenen als Erbe und Aufgabe bleiben. Für das Erinnern an Auschwitz gibt es keine Halbwertszeit. Es wird deswegen nötig sein, mit moderneren didaktischen Methoden diese Geschichte als etwas zu erzählen, das sich mit neugieriger Einfühlung selbst aneignen lässt. Die vielen wunderbaren Beispiele aus den Programmen von Museen und Kultureinrichtungen zeigen längst, dass es möglich ist, auch Jüngere anzustiften, sich so kreativ wie ernsthaft mit der Geschichte des Nationalsozialismus auseinanderzusetzen. Diese Arbeit wird noch stärker gefördert werden müssen als bislang, um Formate speziell für jene zu entwickeln, die mit anderen kulturellen und historischen Referenzen auf die Geschichte blicken.

Das setzt voraus, sich nicht allein der besonderen Tiefe der Schuld der Vergangenheit bewusst zu bleiben, sondern auch wachsam in der Gegenwart zuzuhören, von welchen Verletzungen die Geflüchteten berichten und welche Erinnerungen ihre Erzählungen bergen. Es wird nicht gelingen, wenn niemand dem anderen zuhört. Es wird nicht gelingen, wenn nicht auch Geflüchtete von ihren Erinnerungen, ihren Ängsten sprechen dürfen. Zuzuhören heißt ja nicht: allem zuzustimmen, was da zu hören ist. Es bedeutet lediglich, verstehen zu wollen, woher der oder die andere kommt und welcher

Blickwinkel eine andere Perspektive erzeugt. Wer wir als Gesellschaft sein wollen, wird sich auch darin zeigen, ob und wie eine solche zeitoffene, vielstimmige Erzählung gelingt. Und wer wir als Gesellschaft sein wollen, wird sich auch darin zeigen, ob es gelingt, jede noch so offene, vielstimmige Erzählung auf menschenrechtliche und säkulare Konstanten festzulegen.[9]

Diese Aufgabe ist allerdings nicht neu. Sondern die Reflexion auf die Erfahrungen historischer Schuld und das Nachdenken über das Leid und die Perspektive derer, die extreme Entrechtung und Misshandlungen, die Krieg und Gewalt anderswo erfahren haben, stellt sich in einer Einwanderungsgesellschaft immer wieder. Zur deutschen Erinnerung gehören längst die Erfahrungen und Perspektiven der verschiedenen Menschen und Gruppen aus dem ehemaligen Jugoslawien, zur deutschen Erinnerung gehören längst die Erfahrungen und Perspektiven der verschiedenen Menschen und Gruppen aus der Türkei, aus den Kurdengebieten, aus Armenien und vielen anderen Regionen mehr. Zur deutschen Erinnerung gehören längst auch die post-kolonialen Erfahrungen und Perspektiven schwarzer Deutscher. Im Plural zu existieren heißt auch, diese unterschiedlichen Erinnerungen und Erfahrungen erst einmal anzuerkennen und auszuhalten, dass sie artikuliert und öffentlich verhandelt werden. Im Plural zu existieren, das bedeutet nicht nur, sich nach Jahrzehnten der Migration zögerlich als »Einwanderungsgesellschaft« zu deklarieren. Sondern dazu gehört auch nachzuvollziehen, was es tatsächlich heißt, eine Einwanderungsgesellschaft zu *sein*. Die Zeiten, in denen Migrantinnen und Migranten und ihre Kinder und Enkel nur Objekte des öffentlichen Diskurses sein dürfen, sind endgültig vorbei. Es wird Zeit zu verstehen, dass Migrantinnen und Migranten, Geflüchtete, die hierhergekommen sind, auch Subjekte der öffentlichen Diskurse sind. Das verlangt eine *Pluralisierung der Perspektiven*, eine kritische Befragung der Raster der Wahrnehmung und des Kanons des Wissens, der kulturelle Praktiken und Überzeugungen tradiert. Im Plural zu existieren wird auch heißen, jenes Wissen ernst zu nehmen, das als weniger wertvoll gilt, nur weil es hinzugekommen ist. In der schulischen Bildung ist dieses Wissen, sind diese Perspektiven bislang unterrepräsentiert. Die Literatur, Kunst- und Kulturgeschichte nicht nur der europäischen, sondern auch der außereuropäischen Gesellschaften wird in den Bildungseinrichtungen erstaunlich vernachlässigt.[10] Dieser enge schulische Kanon ist den Anforderungen einer globalisierten Welt und der Lebenswirklichkeit einer Einwanderungsgesellschaft nicht ausreichend nachgekommen. Es gibt vereinzelte Brechungen dieser eingeschränkten Sicht. Es gibt immer wieder Schulen und Lehrerinnen und Lehrer, die sich auch Stoffe und andere Autorinnen oder Autoren vornehmen – aber noch nicht genug. Es geht nicht darum, Büchner und Wieland abzuschaffen, aber eben doch auch mal Orhan Pamuk oder Dany Laferrière oder Terézia Mora oder Slavenka Drakulić zu lesen. Diese Texte sind nicht allein für die Kinder aus migrantischen Familien elementar, die vielleicht die Erfahrungsräume ihrer Eltern und Großeltern darin erkennen können und sie aufgewertet sehen. Das ist auch wichtig. Aber sie sind vor allem für die anderen Kinder relevant: weil sie lernen, über das Naheliegende, das Bekannte hinaus eine neue Welt zu imaginieren und zu entdecken. Es ist auch eine Übung in Perspektivenwechsel und Einfühlung.

Die Pluralisierung der Perspektiven sollte sich auch noch weiter in den Behörden und staatlichen Institutionen (bei der Polizei, auf den Bürgerämtern, in den Justizapparaten) vollziehen. Da gibt es teilweise bereits ein spürbares Bemühen um mehr Diversität. Das ist gut. Die sichtbare Vielfalt in den Institutionen und Unternehmen ist ja nicht einfach politische Kosmetik, sondern sie eröffnet auch jüngeren Menschen ganz andere reale Phantasien, was sie einmal werden könnten. Die sichtbare Vielfalt pluralisiert auch die Vorbilder und Rollenmuster, an denen sich andere orientieren können. In den Behörden und staatlichen Institutionen zeigt sich das Selbstverständnis einer Gesellschaft: Hier signalisiert sie, wer den Staat repräsentieren darf und kann – und wer uneingeschränkt dazugehört. Je vielfältiger die Mitarbeiter und Mitarbeiterinnen der Behörden, desto glaubwürdiger ist auch das demokratische Versprechen auf Anerkennung und Gleichheit.

*

In seinen Vorlesungen aus dem Jahr 1983, die in *Die Regierung des Selbst und der anderen* erschienen sind, entwickelt der französische Philosoph Michel Foucault anhand des griechischen Begriffs *parrhesia* die Idee vom Wahrsprechen.[11] Dabei bedeutet *Parrhesia* zunächst einmal nur Redefreiheit. Aber für Foucault bezeichnet *Parrhesia* jenes Wahrsprechen, das mächtige Meinungen oder Positionen kritisiert. Dabei geht es Foucault nicht allein um den Inhalt des Gesagten, also die Tatsache, dass jemand die Wahrheit sagt, sondern charakteristisch für die *Parrhesia* ist die Art und Weise, *wie* die Dinge gesagt werden. Das Foucault'sche Wahrsprechen ist voraussetzungsvoll. Es reicht nicht aus, einfach nur die Wahrheit zu *benennen*, sondern die *Parrhesia* verlangt auch, sie tatsächlich zu *meinen*. Ich sage nicht nur etwas Wahres, sondern ich *glaube* auch, dass es wahr ist. Die *Parrhesia* kann nicht in manipulativer, täuschender Absicht gesprochen werden. Sie ist als Aussage nicht nur wahr, sondern immer auch wahrhaftig. Damit unterscheidet sie sich von jener Form unwahrhaftiger Bekenntnisse, die gegenwärtig oft von nationalistischen Bewegungen und rechtspopulistischen Parteien zu hören sind: Die sagen, sie hätten nichts gegen Muslime, *aber* ... Die sagen, sie wollten das Asylrecht nicht antasten, *aber* ... Die sagen, sie lehnten Hass und Gewalt ab, *aber* man müsse doch mal sagen dürfen ... Das hat nichts mit Wahrsprechen zu tun.

Außerdem bedarf es für das Wahrsprechen einer bestimmten Konstellation der Macht. Der oder die Wahrsprechende ist jemand, der oder die das »Wort ergreift und dem Tyrannen die Wahrheit sagt«, heißt es bei Foucault. Mit dem Wahrsprechen ist also immer ein Sprechen verbunden, zu dem einem das Recht oder der Status fehlt, es ist ein Sprechen, bei dem der oder die Sprechende etwas *riskiert*. Nun gibt es bei uns keine klassischen Tyrannen, aber das Wahrsprechen braucht es dennoch. Eric Garners Satz *It stops today*, »Das muss heute aufhören«, illustriert, wie ein solches Wahrsprechen in der Gegenwart klingen könnte. Es braucht den Mut, das Wort zu ergreifen, für sich selbst oder für andere, denen das Recht oder der Status dazuzugehören, abgesprochen wird. Die *Parrhesia,* die in der gegenwärtigen Öffentlichkeit verlangt ist, wendet sich gegen die machtvollen Dispositive aus Gesagtem und Ungesagtem, gegen die Raster des Hasses, die Migrantinnen und Migranten abwerten und denunzieren, gegen die Blick-Regime, die schwarze Menschen übersehen, als seien sie nicht Menschen aus Fleisch und Blut, gegen die permanenten Verdächtigungen gegen Muslime, gegen die Mechanismen und Gewohnheiten, die Frauen benachteiligen, und gegen die Gesetze, die Schwulen und Lesben, Bisexuellen und Transpersonen die Möglichkeit nehmen, zu heiraten und Familien zu gründen wie andere Menschen auch. Es richtet sich gegen all jene Techniken der Ausgrenzung und Missachtung, mit denen Jüdinnen und Juden wieder isoliert und stigmatisiert werden. Das Wahrsprechen der Gegenwart richtet sich auch gegen die

Raster der Wahrnehmung und die Blick-Regime, die jene unsichtbar machen, die in sozial prekären Verhältnissen leben
müssen: jene, die nicht wegen ihrer religiösen oder kulturellen Überzeugungen ausgeschlossen werden, sondern schlicht,
weil sie arm oder arbeitslos sind. Sie werden missachtet in
einer Gesellschaft, die sich immer noch über Arbeit definiert,
obgleich jeder weiß, dass Massenarbeitslosigkeit eine strukturelle Konstante darstellt. Auch in ihrem Namen und für
ihre Sichtbarkeit braucht es das Wahrsprechen gegenüber dem
Tabu der sozialen Klasse. Es werden ja nicht nur bestimmte
Menschen als politisch oder sozial »überflüssig« stigmatisiert.
Es wird die Kategorie der sozialen Klasse schlicht ignoriert, als
ob es sie nicht mehr gäbe. Während viele als kategorial Andere markiert und ausgegrenzt werden, wird bei armen oder
arbeitslosen Menschen gelegentlich so getan, als gäbe es sie
gar nicht als Gruppe. Für diejenigen, die in prekären und armen Verhältnissen leben, führt dieses Verleugnen der sozialen
Ungleichheiten dazu, dass sie ihre Situation als vermeintlich
individuell und selbstverschuldet empfinden.

Die israelische Soziologin Eva Illouz hat darauf hingewiesen,
dass das Wahrsprechen nicht unbedingt nur eine Richtung
oder einen Adressaten kennt. Es gibt mitunter historische
Situationen, in denen einem die Aufgabe zukommt, verschiedenen Machtkonstellationen zugleich widersprechen
zu müssen.[12] Das bedeutet, dass das Wahrsprechen sich womöglich nicht nur gegen den Staat und seine ausgrenzenden

Diskurse richtet, nicht nur gegen machtvolle Bewegungen und Parteien, sondern womöglich auch gegen das eigene soziale Umfeld, gegen die Familie, den Freundeskreis, die religiöse Gemeinschaft, den politischen Kontext, in dem man sich bewegt – und in dem es möglicherweise auch mutigen Einspruch gegen ausgrenzende Codes und selbstgefällige Ressentiments braucht. Das verlangt, sich nicht einfach in einer realen oder eingebildeten Opfer-Position, in der Rolle einer marginalisierten Gemeinschaft einzurichten, sondern darauf zu achten, ob sich innerhalb der eigenen Gruppe, individuell oder kollektiv, auch ausgrenzende und stigmatisierende Dogmen oder Praktiken verdichten. Ob auch hier Raster der Wahrnehmung geformt werden, in die sich Hass und Missachtung ausschütten können. Auch hier, so Illouz, bedarf es des universalistischen Einspruchs.

Die Foucault'sche Beschreibung der *Parrhesia* gibt einen Hinweis darauf, wie der Widerstand gegen Hass und Fanatismus sich artikulieren sollte: Diejenigen, denen die Subjektivität genommen werden sollte, deren Haut, deren Körper, deren Scham nicht respektiert wird, die nicht als Menschen, als Gleiche, sondern als »Asoziale«, als »unproduktives« oder »unwertes« Leben, diejenigen, die als »Perverse«, als »Kriminelle«, als »Kranke«, als ethnisch oder religiös »Unreine« oder »Unnatürliche« kategorisiert und damit entmenschlicht wurden, sie alle gilt es wieder als Individuen einzubauen in ein *universales Wir.*

Das setzt voraus: all die Verknüpfungen, all die Ketten an Assoziationen, die über Jahre und Jahrzehnte eingeübten begrifflichen oder bildlichen Verkrümmungen und Stigmatisierungen zu unterbrechen. All die Muster der Wahrnehmung, die Raster, in denen Individuen zu Kollektiven und die Kollektive mit Eigenschaften und pejorativen Zuschreibungen verkoppelt werden, zu unterwandern. »Soziale Konflikte werden entlang narrativer Feldlinien choreographiert«, schreibt Albrecht Koschorke in *Wahrheit und Erfindung,* und in diesem Sinne gilt es, mit dem eigenen Sprechen und Handeln die Choreographien zu durchkreuzen.[13] Die Raster des Hasses, wie im ersten Teil dieses Essays beschrieben, werden geformt in Erzählungen, die die Wirklichkeit besonders engführen. So werden einzelne Individuen oder ganze Gruppen nur noch mit Eigenschaften verbunden, die sie abwerten: Sie gelten als »fremd«, »anders«, »faul«, »animalisch«, »moralisch korrupt«, »undurchschaubar«, »illoyal«, »promisk«, »unehrlich«, »aggressiv«, »krank«, »pervers«, »hyper-sexualisiert«, »frigid«, »ungläubig«, »gottlos«, »ehrlos«, »sündig«, »ansteckend«, »degeneriert«, »asozial«, »unpatriotisch«, »unmännlich«, »unweiblich«, »staatszersetzend«, »terror-verdächtig«, »kriminell«, »zickig«, »dreckig«, »schlampig«, »schwach«, »willenlos«, »willig«, »verführerisch«, »manipulativ«, »geldgierig« u.s.w.

Auf diese Weise verdichten sich die permanent wiederholten Assoziationsketten zu vermeintlichen Gewissheiten. Sie lagern sich ein in mediale Repräsentationen, sie verfestigen sich in fiktionalen Formaten, in Erzählungen oder Filmen, sie werden im Netz, aber auch in Institutionen wie der Schule reproduziert, wenn Lehrerinnen oder Lehrer Empfehlungen abgeben sollen, wer aufs Gymnasium darf und wer nicht. Sie verfestigen sich in intuitiven oder nicht ganz so intuitiven Praktiken der Personen-Kontrollen und sie materialisieren sich in den Auswahlprozessen für ausgeschriebene Stellen, bei denen bestimmte Bewerberinnen und Bewerber seltener eingeladen werden.

Mangelnde Vorstellungskraft ist ein mächtiger Widersacher von Gerechtigkeit und Emanzipation – und das Wahrsprechen, das es braucht, ist eines, das die Vorstellungsräume wieder *erweitert*. Soziale und politische Räume der Partizipation, demokratische Spielräume beginnen auch mit dem Diskurs und den Bildern, in denen Menschen angesprochen und anerkannt werden. Die Differenzierung, die dem fanatischen Dogma des Schlichten und Reinen entgegengesetzt werden muss, beginnt genau dort: den verschwörungstheoretischen Phantasien, den kollektiven Zuschreibungen, den groben Verallgemeinerungen der ideologischen Ressentiments wieder ein präzises Beobachten gegenüberzustellen. »Genaues Beobachten bedeutet zerteilen«, schreibt Herta Müller – und so müssen die Raster der Wahrnehmung, die die Wirklichkeit verengen, zerteilt und aufgelöst werden. Die falschen Verallgemeinerungen, in denen Individuen nur noch als Stellvertreter für eine ganze Gruppe verhaftet werden, müssen zerteilt werden, damit wieder einzelne Personen und ihre Handlungen erkennbar werden. Und die Losungsworte und Bezeichnungen, die ausgrenzen und eingrenzen, müssen unterwandert und verwandelt werden.

Die Praxis des Resignifizierens, also der Aneignung und Umdeutung von stigmatisierenden Begriffen und Praktiken, hat eine lange Tradition, in die sich zu reihen sicherlich auch als eine poetische Technik des Widerstands gegen Hass und Missachtung bezeichnet werden kann. Die afro-amerikanische Bürgerrechtsbewegung, aber auch die Emanzipationsbewegung von Schwulen, Lesben, Bisexuellen, Transpersonen und queeren Menschen ist voller Beispiele für solche ironischen, performativen Resignifizierungs-Praktiken. In der Gegenwart ist der »Hate Poetry Slam« eines der beispielhaften Formate, das eine kreative und heitere Variante des Wahrsprechens gegen Hass und Missachtung vollführt.[14] Es gibt andere Mittel, die machtvollen Zuschreibungen und Stigmatisierungen zu durchkreuzen. Es gibt konkrete Maßnahmen-Kataloge, wie gerade in den sozialen Medien stärker gegengesteuert werden kann, um den Echokammern des Hasses zu begegnen. Es braucht alle diese Instrumente: soziale und künstlerische Interventionen, öffentliche Debatten und Auseinandersetzungen, politische Bildungs- und Schulungsmaßnahmen, aber auch Gesetze und Verordnungen.

*

Foucault verweist auf einen weiteren Aspekt der *Parrhesia*, des Wahrsprechens: Es richtet sich nicht allein an ein mächtiges, tyrannisches Gegenüber (und »wirft ihm die Wahrheit an den Kopf«), sondern es adressiert auch den oder die Wahrsprechende selbst. Das gefällt mir besonders gut. Als ob man wahrsprechend in sich hineinmurmelt, zu sich selbst spricht, mit sich selbst einen Pakt eingeht. Wahrsprechen gegen mächtiges Unrecht bedeutet immer auch eine Art Bund des Wahrsprechenden mit sich selbst: Im Aussprechen der sozialen und politischen Wahrheit fühle ich mich auch durch sie und an sie gebunden. Nun liegt in diesem mutigen Akt des Wahrsprechens, das hebt Foucault hervor, nicht allein eine Pflicht, sondern das Wahrsprechen bindet einen auch an die *Freiheit*, die sich im Wahrsprechen zeigt und vollzieht. Das Wahrsprechen gegen Unrecht als ein Akt der Freiheit ist ein Geschenk, denn es eröffnet den Wahrsprechenden ein Verhältnis zu sich selbst, das der entfremdenden Wirkungsweise der Macht, ihrer Mechanik der Exklusion und der Stigmatisierung, widerspricht. Wahrsprechen kann deswegen auch nie nur ein einmaliger Akt, eine einzelne Handlung sein, sondern ihr Pakt wirkt dauerhaft auf das sprechende Subjekt und verpflichtet es.

Vermutlich wissen das am ehesten all die zahllosen Helferinnen und Helfer, die sich in der humanitären Krise für Geflüchtete engagiert haben. Es mag auf den ersten Blick eine überraschende Lesart sein, dieses zivilgesellschaftliche Engagement als eine Form des Wahrsprechens gegen die Macht zu deuten. Aber die Hilfsbereitschaft unzähliger Bürgerinnen und Bürger, junger und älterer Menschen, all jener Familien, die Geflüchtete bei sich aufgenommen haben, jener Polizistinnen und Feuerwehrleute, die in Sonderschichten gearbeitet, jener Lehrerinnen und Erzieher, die sich für Willkommensklassen eingeteilt, jeder und jede, die mit Zeit oder Lebensmitteln oder Wohnraum geholfen haben, sie alle setzten sich auch über soziale Erwartungen und bürokratische Regeln hinweg. Sie haben die Aufgabe der Versorgung von Geflüchteten nicht einfach an staatliche oder kommunale Stellen delegiert. Sondern sie haben vielmehr das vielfach existierende politische Vakuum durch das dissidente und großzügige Engagement einer enorm heterogenen, sozialen Bewegung gefüllt. Das war und ist keineswegs immer einfach. Es kostete und kostet Zeit, aber auch Kraft und Mut. Denn so wie jede Begegnung mit Geflüchteten immer das Potential birgt, etwas zu entdecken, das einen beglückt und bereichert, so birgt jede Begegnung immer auch das Potential, etwas zu entdecken, das man nicht versteht, das einem widerstrebt, das einen verstört.

Für mich zählt dieses Engagement als eine Version des Wahrsprechens, weil es unter zunehmendem Druck der Straße, mitunter großen Anfeindungen und Drohungen stattfindet. Noch immer braucht es Wachschutz vor Flüchtlingsunterkünften, noch immer werden freiwillige Helferinnen und Helfer beschimpft und bedroht. Es verlangt Mut, sich diesem

Hass entgegenzustellen und sich nicht beirren zu lassen in dem, was einem humanitär geboten oder menschlich selbstverständlich erscheint. Jeder Anschlag, jeder Amoklauf eines psychisch kranken oder fanatisch-mobilisierten Geflüchteten setzt dieses Engagement zusätzlichem Druck und zusätzlichen Einwänden von außen aus. Es braucht ungeheure Geduld und auch Selbstvertrauen, sich weiterhin um diejenigen zu kümmern, die Hilfe und Zuspruch brauchen und die für die Taten anderer nicht bestraft werden dürfen.

Zum zivilen Widerstand gegen den Hass gehört für mich auch, sich die Räume der Phantasie zurückzuerobern. Zu den dissidenten Strategien gegen Ressentiment und Missachtung gehören auch, und das mag, nach allem, was zuvor zu hören war, überraschen, die *Geschichten vom Glück*. Angesichts all der unterschiedlichen Instrumente und Strukturen der Macht, die Menschen marginalisieren und entrechten, geht es beim Widerstand gegen Hass und Missachtung auch darum, sich die verschiedenen Möglichkeiten des Glücklichwerdens und des wirklich freien Lebens zurückzuerobern. Dem Tyrannen zu widersprechen bedeutet immer, den repressiv-produktiven Zurichtungen der Macht zu widerstehen. Und das heißt auch: die Rolle des Unterdrückten, Unfreien, Verzweifelten nicht zu akzeptieren. Stigmatisiert und ausgegrenzt zu werden heißt ja nicht allein, in seinen Handlungsmöglichkeiten beschränkt zu werden, sondern es raubt allzu oft schon die Kraft und den Mut, für sich etwas fordern zu können, was allen anderen gegeben und normal erscheint: nicht nur Rechte auf Teilhabe, sondern auch die *Phantasie des Glücks*.

Zu den dissidenten Strategien gegen Exklusion und Hass gehört deswegen auch, Geschichten vom *gelungenen, dissidenten Leben und Lieben* zu erzählen, damit sich, jenseits all der Erzählungen vom Unglück und von der Missachtung, auch die *Möglichkeit des Glücks* als etwas festsetzt, das es für jeden und jede geben könnte, als eine Aussicht, auf die zu hoffen, jede und jeder ein Anrecht hat: nicht nur diejenigen, die der herrschenden Norm entsprechen, nicht nur diejenigen, die weiß sind, die hören können, nicht nur diejenigen, die sich in dem Körper, in dem sie geboren sind, zurechtfinden, nicht nur diejenigen, die so begehren wie es die Werbeplakate oder die Gesetze vorschreiben, nicht nur diejenigen, die sich frei bewegen können, nicht nur diejenigen, die den »richtigen« Glauben haben, die »richtigen« Papiere, den »richtigen« Lebenslauf, das »richtige« Geschlecht. Sondern alle.

Wahrsprechen heißt auch, mit der Wahrheit, die ausgesprochen wurde, einen Pakt einzugehen. Nicht nur zu glauben, dass alle Menschen vielleicht nicht gleichartig, aber gleich-*wertig* sind, sondern diese Gleichwertigkeit auch auszubuchstabieren: sie wirklich einzuklagen, permanent, gegen den Druck, gegen den Hass, damit sie nach und nach *nicht nur poetisch imaginiert, sondern real verwirklicht* wird.

»Macht ist immer ein Machtpotential und nicht etwas Unveränderliches, Messbares, Verlässliches wie Kraft oder Stärke«, schreibt Hannah Arendt in *Vita Activa*, »Macht (...) besitzt eigentlich niemand, sie entsteht zwischen Menschen, wenn sie zusammen handeln, und sie verschwindet, wenn sie sich zerstreuen.«[15] Das wäre auch die zutreffendste und schönste Beschreibung von einem Wir in einer offenen, demokratischen Gesellschaft: Dieses Wir ist immer ein Potential und nicht etwas Unveränderliches, Messbares, Verlässliches. Das Wir definiert niemand allein. Es entsteht, wenn Menschen zusammen handeln, und es verschwindet, wenn sie sich aufspalten. Gegen den Hass aufzubegehren, sich in einem Wir zusammenzufinden, um miteinander zu sprechen und zu handeln, das wäre eine mutige, konstruktive und zarte Form der Macht.

Anmerkungen

Vorwort

1 Zu den machtvollen Techniken des Ausgrenzens oder Stigmatisierens gehören auch die Begriffe, mit denen Menschen bezeichnet werden. Für viele, die sich im wissenschaftlichen oder polit-aktivistischen Kontext mit den Fragen der Ausgrenzung befassen, ist gerade die sprachpolitische Debatte um angemessene Bezeichnungen ein gravierendes ethisches Problem. Schon die vermeintlich »selbstverständlichen« Kategorien wie »schwarz/weiß« wiederholen doch lediglich die rassistische Zuschreibung und Spaltung, die kritisiert werden sollen. Deswegen gibt es eine Vielzahl sprachlicher Strategien, um sensibler mit diesem Problem umzugehen: vom Weglassen und Ersetzen der belasteten Begriffe, einer Verwendung ausschließlich englischer Bezeichnungen bis hin zu verschiedenen kreativen Formen der Markierung (Kleinschreibung »weiß«, Großschreibung »Schwarz«, um die soziale Hierarchisierung umzukehren). Oft entfernen sich diese sprachpolitischen Optionen allerdings recht weit von den verbreiteten Gewohnheiten des Sprechens und Schreibens. Das ist einerseits auch genau die politische Absicht: Es sollen schließlich Gewohnheiten verändert werden. Aber dadurch verlieren sie mitunter ihre Wirkung gerade bei den Menschen, die sie erreichen wollen. Wichtig bleibt festzuhalten, dass »schwarz« und »weiß«, wie sie hier im Text verwendet werden, keineswegs als objektive Tatsachen behauptet werden. Sondern als Zuschreibungen in einem spezifischen historisch-kulturellen Kontext. Wer mit welchem Recht in welchem Kontext und mit welchen Folgen als »schwarz«

gelesen und gesehen wird, eben darüber gibt es beeindruckende Kontroversen. Zu den historisch belasteten Zuschreibungen und zum Rassismus mehr und ausführlicher im Abschnitt über Eric Garner.

2 Giorgio Agamben beschreibt so auch die Figur des »homo sacer«. Ders., *Homo Sacer. Die souveräne Macht und das nackte Leben*, Frankfurt am Main 2002.

3 Nur als Gedankenexperiment möge man sich das einmal andersherum vorstellen: Heterosexualität sei ja akzeptabel, aber warum müssten Heterosexuelle immer so erkennbar heterosexuell sein. Sie könnten sich ja privat lieben, das störte niemanden, aber warum auch noch heiraten?

4 Im Folgenden wird nicht von individuellen Pathologien oder Psychosen die Rede sein, die sich auch in Hass und Gewalt (wie in Amokanschlägen) artikulieren können. Inwiefern sich im Einzelfall solche psychischen Dispositionen besonders verstärken oder entladen in Zeiten der politisch-ideologischen Mobilmachungen des Hasses ist ein eigenständiger Untersuchungsgegenstand.

1. SICHTBAR – UNSICHTBAR

1 Siehe auch Axel Honneths schönen Aufsatz »Unsichtbarkeit. Über die moralische Epistemologie von ›Anerkennung‹«, in: Ders., *Unsichtbarkeit. Stationen einer Theorie der Intersubjektivität*, Frankfurt am Main 2003, S. 10–28.

2 Claudia Rankine, *Citizen*, Minneapolis 2014, S. 17. Eigene Übersetzung. Das Zitat lautet im Original: »*… and you want it to stop, you want the child pushed to the ground to be seen, to be helped to his feet, to be brushed off by the person that did not see him, has never seen him, has perhaps never seen anyone who is not a reflection of himself.*«

3 Die Erzählung dient nicht als Empfehlung zur Nachahmung – nur um das sicherheitshalber noch mal deutlich zu machen. Es war nur

als Illustration der Shakespeare'schen Vorstellung von Liebe als zeitlich begrenzter Projektion gemeint.

4 So lässt sich zwischen dem Objekt und dem »formalen Objekt« einer Emotion unterscheiden. Siehe: William Lyons, »Emotion«, in: Sabine Döring (Hrsg.), *Philosophie der Gefühle*, Frankfurt am Main 2009, S. 83–110.

5 Martha Nussbaum, *Politische Emotionen*, Berlin 2014, S. 471.

6 Über dieses passive Identitäts-Modell nach Jean-Paul Sartre und auch Iris Marion Young habe ich sehr ausführlich geschrieben in: Carolin Emcke, *Kollektive Identitäten*, Frankfurt am Main 2000, S. 100–138. Inwiefern es tatsächlich anwendbar ist auf unterschiedliche Formen und Gruppierungen des Fanatismus, müsste eingehender und auch spezifischer untersucht werden als das hier möglich ist.

7 Didier Eribon, *Rückkehr nach Reims*, Berlin 2016, S. 139.

8 Jürgen Werner, *Tagesrationen*, Frankfurt am Main 2014, S. 220.

9 Vgl. auch Jan-Werner Müller: der »Kernspruch aller Populisten (…) lautet etwa so: ›Wir – und nur wir – repräsentieren das wahre Volk.‹« In: Ders., *Was ist Populismus*, Berlin 2016, S. 26. Müller fragt auch, welchen Unterschied es bedeuten würde, wenn der Slogan nur um ein Wort ergänzt würde: »Wir sind *auch* das Volk«.

10 Sie erinnert an einen Satz von Frantz Fanon: »Nach allem, was gesagt wurde, versteht man, dass die erste Reaktion des Schwarzen darin besteht, nein zu sagen zu denen, die ihn definieren wollen.« Frantz Fanon, *Schwarze Haut, weiße Masken*, Wien 2013/2015, S. 33.

11 Aurel Kolnai, *Ekel Hochmut Hass. Zur Phänomenologie feindlicher Gefühle*, Frankfurt am Main 2007, S. 102.

12 Elaine Scarry, »Das schwierige Bild der Anderen«, in: Friedrich Balke, Rebekka Habermas, Patrizia Nanz, Peter Sillem (Hrsg.), *Schwierige Fremdheit*, Frankfurt am Main 1993, S. 242.

13 Der einzige Begriff, der mir ansonsten zutreffend erschiene, wäre der der »Meute«, im Sinne von Elias Canetti: »Die Meute besteht aus einer Gruppe erregter Menschen, die sich nichts mehr wün-

schen, als *mehr zu sein*.« Elias Canetti, *Masse und Macht*, Frankfurt am Main 1980/2014, S. 109.

14 *https://www.facebook.com/Döbeln-wehrt-sich-Meine-Stimme-gegen-Überfremdung-687521988023812/photos_stream?ref=page_internal*

15 Zum Zeitpunkt des Schreibens an diesem Buch gab es noch diese Bilder / Videos / Kommentare auf der Seite.

16 *http://www.sz-online.de/sachsen/autoliv-schliesst-werk-in-doebeln-2646101.html*

17 Der Bus der Firma »ReiseGenuss«, der in Clausnitz schließlich blockiert wurde, war ursprünglich an diesem Tag in Schneeberg gestartet und fuhr über die Ausländerbehörde in Freiberg nach Clausnitz. In Döbeln hat er nie Station gemacht.

18 Kolnai, *Ekel Hochmut Hass*, S. 132 f.

19 Max Horkheimer / Theodor W. Adorno, *Dialektik der Aufklärung*, Frankfurt am Main 1989, S. 179.

20 Christoph Demmerling / Hilge Landweer, *Philosophie der Gefühle*, Stuttgart 2007, S. 296.

21 So warnte auch der BKA-Chef Münch im Juni 2016 mit bemerkenswerter Klarheit: »Die Sprache kommt vor der Tat.«: *http://www.faz.net/aktuell/politik/inland/bka-chef-muench-im-interview-die-sprache-kommt-vor-der-tat-14268890.html*

22 Elaine Scarry, Das schwierige Bild der Anderen, in: Balke / Habermas / Nanz / Sillem (Hrsg.), *Schwierige Fremdheit*, Frankfurt 1993, S. 238.

23 In der Ausstellung »Angezettelt«, die vom Zentrum für Antisemitismusforschung und dem Deutschen Historischen Museum organisiert wurde, werden diese historischen Linien aus alten Vorurteilen und Motiven bis in die heutige Bild-Politik antisemitischer oder rassistischer Aufkleber aufgezeigt. Die Hetzkampagne »Schwarze Schmach«, mit der in den 20er Jahren vor der angeblichen »Bestialität« von Schwarzen »gewarnt« wurde, die dazugehörigen Briefmarken, auf denen riesige, düstere Figuren sich über wehrlose, weiße Frauenkörper hermachen, eben diese rassistische Insinuierung von der sexuellen Gefahr, die angeblich von »Frem-

den« (nun »Ausländern« oder »Nordafrikanern«) ausgehe, sie wiederholt sich.

24 Was dieses historische Zitat in neuem Umfeld so perfid macht, ist, dass es die erreichte Wachsamkeit gegenüber sexueller Gewalt instrumentalisiert und in die gewünschte Richtung kanalisiert. In der Gegenwart, in der endlich sexuelle Gewalt gegenüber Kindern und Frauen kriminalisiert wird, in der sie nicht mehr verharmlost oder verniedlicht wird, verkoppeln sich die illegitimen Muster der rassistischen Zuschreibung (die geschürte Furcht vor dem »übergriffigen Fremden« oder dem »arabischen Mann«) mit der legitimen und notwendigen Sensibilisierung gegenüber sexueller Gewalt gegen Kinder und Frauen. Deswegen ist das Schüren von Angst vor »Kinderschändern« so ein populäres rhetorisches Instrument in der rechtsradikalen Szene, weil sich damit in einem breiten gesellschaftlichen Spektrum Zustimmung generieren lässt. Natürlich will sich jeder und jede gegen sexuelle Gewalt stellen. Nur dient in diesem Milieu die Warnung vor sexuellen Übergriffen vor allem der Vertiefung des Ressentiments gegenüber »dem arabischen« oder »dem schwarzen« Mann.

25 Das ist nicht zufällig, sondern Ergebnis bewusster, rhetorischer Taktik. In einem Beitrag des Magazins SPIEGEL TV, der am 14. Mai 1989 ausgestrahlt wurde, lässt sich die Oberflächen-Politur rassistischer Ideologie nachvollziehen: Ein Workshop von NPD-Kadern wird filmisch begleitet. In einer Seminar-Einheit soll eine Rede zum Thema »Ausländer-Problematik« geübt werden. Die Sitzung ist als ein Rollen-Spiel konzipiert: Ein Seminar-Teilnehmer probt einen Vortrag, die anderen sollen ihn mit Einwänden oder Einwürfen konfrontieren. Auf die Nachfrage, ob nicht Ausländern aus Kriegsgebieten doch geholfen werden müsste, antwortet der NPD-Schüler: »... das sind arme Teufel. Natürlich muss man denen helfen. Aber denen ist nicht geholfen, wenn man versucht, die hier einzugliedern ... das geht eben nicht. Das ist 'ne andere Rasse, die sich auszeichnet durch andere Merkmale, durch eine andere Lebensart ...« In der anschließenden Feedback-Runde durch die

Dozenten folgt die taktische Korrektur: »Dann sagst Du ›Rassen‹ …
das ist auch ein Wort, das ich nie in dem Zusammenhang bringen
würde … gemeint hast Du ›andere Mentalität‹. Aber so hast Du
natürlich gleich wieder bei den Linken oder bei der *(unverständlich)*
Presse … ›Das ist ein Rassist‹.« Die Kritik bezieht sich also nicht auf
die Unterstellung, es gäbe so etwas wie unterschiedliche »Rassen«
und ihnen ließen sich kollektiv bestimmte Eigenschaften zuschrei-
ben. Sondern die Kritik bezieht sich lediglich auf das Wort »Rasse«,
weil es den Vorwurf anlockt, der Sprecher sei ein Rassist. So erklärt
sich, warum der heutige Diskurs so geglättet daherkommt – ohne
an den ideologischen Inhalten etwas verändert zu haben. Dank
an Maria Gresz und Hartmut Lerner aus der Dokumentation von
SPIEGEL TV, die mir diesen Beitrag zugänglich gemacht haben.

26 Selbst die Polizei wird in diesem Kontext wenn nicht als feindlich,
so doch als manipuliert oder verwirrt wahrgenommen. Es gibt Auf-
rufe, die sich ausdrücklich an Beamte richten und in denen erklärt
wird, wen sie stützen und wen sie schützen sollten. Das »Volk«,
so heißt es da, das Volk, das sind »Eure Familie, Eure Verwand-
ten, Eure Freunde, Eure Nachbarn«. Dass Polizisten zuvörderst den
Rechtsstaat schützen und alle Menschen, die hier leben, unabhängig davon, ob sie mit ihnen verwandt oder befreundet sind – das ist
offensichtlich ungültig.

27 Jede vermeintliche Differenzierung dient in diesem einheitlichen
Diskurs allein der Bestätigung des Generalverdachts. Um ein Beispiel aus demselben Kontext zu geben: Ein Bild von einer gläser-
nen Schale mit bunten M&Ms. Darüber großgedruckt die Zeile:
»Nicht alle Flüchtlinge sind kriminell oder böse«, darunter die klei-
ner gesetzte Zeile: »Nur stell dir jetzt einmal eine Schale M&Ms
vor, wovon 10 % vergiftet sind. Würdest du eine Handvoll davon
essen?«

28 Dazu gehören Publikationen wie »Sezession«, die sich nüchtern und
intellektuell geben oder es auch sind, und die doch all die Themen
und Deutungen bereitstellen, die es für den Hass auf die Menschen
im Bus braucht. Vgl. auch Liane Bednarz / Christoph Giesa, *Ge-*

fährliche Bürger. Die Neue Rechte greift nach der Mitte, München 2015. Oder auch Volker Weiß, *Deutschlands neue Rechte,* Paderborn 2011. Sowie: Küpper / Molthagen / Melzer / Zick / (Hrsg.), *Wut, Verachtung, Abwertung. Rechtspopulismus in Deutschland,* Bonn 2015.

29 Eine exzellente Analyse der Geschichte und Strategie des IS liefert Will McCants, *The ISIS Apocalypse,* New York 2015. Der Autor ist auch auf twitter sehr aktiv: @will_mccants

30 In einem der zentralen Dokumente, auf das sich der IS ideologisch-programmatisch beruft, *The Management of Savagery,* widmet sich der Autor, Abu Bakr Naji, in einem ganzen eigenen Kapitel der Strategie der Polarisierung. Der Text wurde übersetzt von Will McCants im Jahr 2006 und ist allen, die die dogmatischen Grundlagen des Terrors des IS verstehen wollen, sehr zu empfehlen. Über Polarisierung und Fragmentierung des Westens als Ziel des IS siehe auch: *http://understandingwar.org/sites/default/files/ISW%20ISIS%20RA-MADAN%20FORECAST%202016.pdf*

31 *http://www.focus.de/politik/videos/brauner-mob-in-clausnitz-dramatische-szenen-aus-clausnitz-fluechtlingsheim-frauen-und-kinder-voellig-verstoert_id_5303116.html*

32 *https://www.youtube.com/watch?v=JpGxagKOkv8*

33 Die Namen sind erst nachträglich über die Ermittlungen bekannt geworden. Ich verwende sie hier zur präziseren Beschreibung der Abläufe, die zum Tod von Eric Garner führten.

34 Im englischen Original lauten die letzten Worte von Eric Garner: *Get away [garbled] for what? Every time you see me, you want to mess with me. I'm tired of it. It stops today. Why would you …? Everyone standing here will tell you I didn't do nothing. I did not sell nothing. Because everytime you see me, you want to harass me. You want to stop me [garbled] selling cigarettes. I'm minding my business, officer, I'm minding my business (…)* Es gibt auch eine Tonspur davon: *http://www.hiaw.org/garner/*

35 Eric Garner war zuvor schon wegen des Verkaufs nicht versteuerter Zigaretten und wegen des Besitzes von Marihuana mehrfach verhaftet worden.

36 Im Original (wie in der deutschen Übersetzung) ist das N-Wort ausgeschrieben. Ich verzichte hier bewusst darauf, den Begriff auszuschreiben, weil ich – als weiße Autorin einen schwarzen Schriftsteller zitierend – diesen Begriff in einen anderen Kontext setze und mir der Verschiebungen und Verletzungen, die sich daraus ergeben können, bewusst bin. Frantz Fanon, *Schwarze Haut, weiße Masken*, Wien / Berlin 2013–2015, S. 97.

37 Besonders instruktiv dazu die Texte von Judith Butler, »Endangered / Endangering: Schematic Racism and White Paranoia« sowie Robert Gooding-Williams, »Look, a n …« in: Robert Gooding-Williams (Hrsg.), *Reading Rodney King, Reading Urban Uprising*, New York / London 1993, S. 15–23 und S. 157–178.

38 Scarry, Das schwierige Bild des Anderen, S. 230.

39 Den Tod begünstigt, auch das stellt die Gerichtsmedizin fest, hatten zudem Eric Garners Asthma-Erkrankung, eine Herzschwäche und sein Übergewicht.

40 Fanon, *Schwarze Haut, weiße Masken*, S. 95.

41 *http://www.nytimes.com/1994/12/30/nyregion/clash-over-a-football-ends-with-a-death-in-police-custody.html*

42 Ta-Nehisi Coates, *Zwischen mir und der Welt*, München 2016, S. 17.

43 Coates, *Zwischen mir und der Welt*, S. 105.

44 Ausgerechnet in Dallas, wo fünf Polizisten durch den schwarzen Afghanistan-Veteranen Micah Johnson erschossen wurden, war die lokale Polizei seit Jahren besonders um De-Eskalation bemüht. Siehe: *www.faz.net/aktuell/feuilleton/nach-den-polizistenmorden-aus gerechnet-dallas-14333684.html*

45 George Yancey beschreibt diese Erfahrung der Angst in einem Interview in der *New York Times* unter dem Titel »The Perils of Being a Black Philosopher« mit den Worten: »*Black people were not the American ›we‹ but the terrorized other.*« *http://opinionator.blogs. nytimes.com/2016/04/18/the-perils-of-being-a-black-philosopher/? smid=tw-nytopinion&smtyp=cur&_r=1*

46 Ich will hier gar nicht aufzählen, mit wie vielen lesbischen Frauen ich schon verwechselt wurde, die mir wirklich nicht ähnlich sehen.

47 Vgl. auch Mari J. Matsuda / Charles R. Lawrence III. / Richard Delgado / Kimberlè Williams Crenshaw (Hrsg.), *Words that Wound. Criticial Race Theory, Assaultive Speech, and the First Amendment,* Boulder / Colorado 1993, S. 13.

2. HOMOGEN – NATÜRLICH – REIN

1 Jacques Derrida, *Schibboleth,* Wien 2012, S. 49.

2 Unterschiede in Praktiken und Überzeugungen des Glaubens finden sich zudem nicht nur zwischen religiösen Gemeinschaften, sondern auch *innerhalb* einer jeden. Glaube in der Moderne ist immer auch – jenseits aller theologischen Lehre – *gelebter* Glaube und darin, über verschiedene Generationen oder Regionen hinweg, facettenreicher und beweglicher, als es die jeweiligen kanonischen Texte oder das jeweilige Lehramt vorgeben mögen. Grundsätzlich gilt auch für religiöse Gemeinschaften, dass *kein Zwang* ausgeübt werden darf. Das verlangt, dass für diejenigen, die hineingeboren wurden in eine Gemeinschaft, mit deren Regeln sie nicht übereinstimmen können oder wollen, eine *Exit-Option* bereitsteht: dass Mitglieder oder Angehörige also aussteigen können, wenn sie nicht glauben können oder wollen, wenn die Vorgaben sie vielleicht überfordern oder sie gar in ihren Rechten als eigenständige Subjekte missachten. Glauben zu dürfen (oder zu können) wie nicht glauben zu dürfen (oder zu können) sind gleichermaßen schützenswerte individuelle Rechte (oder Gaben). Der Zugang zum Glauben und einer religiösen Gemeinschaft darf nicht erzwungen werden.

3 Tzvetan Todorow, *Die Eroberung Amerikas. Das Problem des Anderen,* Frankfurt am Main 1985, S. 177.

4 Bevor darüber ein Missverständnis aufkommt: Natürlich können solche Ausgrenzungen manchmal auch mehrheitlich, durch Volksentscheide oder parlamentarische Wahlen autorisiert sein. Aber das ändert nichts an ihrem potentiell illiberalen, normativ fragwürdigen

Charakter. Auch demokratische Entscheidungen werden in einem Rechtsstaat eingefasst und eingegrenzt durch menschenrechtliche Garantien. Aber dazu später mehr.

5 Im Liberalismus dagegen zeigt sich ein gewisser Pragmatismus: Das Volk delegiert seine Souveränität an gewählte Vertreterinnen und Vertreter. In der Bundesrepublik wird die Staatsgewalt des Volkes, so formuliert es das Grundgesetz, nur »in Wahlen und Abstimmungen und durch besondere Organe der vollziehenden Gewalt und der Rechtsprechung ausgeübt« (GG. Art. 20, Abs. 2). Siehe auch zu einer Reformulierung des Begriffs der Volkssouveränität durch ein diskurstheoretisch erweitertes Konzept der demokratischen Willensbildung: Jürgen Habermas, *Faktizität und Geltung*, Frankfurt am Main 1992, S. 349–399.

6 Vgl. »Das Imaginäre der Republik II: Der Körper der Nation«, in: Koschorke / Lüdemann / Frank / Matala de Mazza, *Der fiktive Staat*, Frankfurt am Main 2007, S. 219–233.

7 Ausführlicher zu der Frage des Kopftuchs siehe: Carolin Emcke, *Kollektive Identitäten,* Frankfurt am Main 2000, S. 280–285.

8 Ebenda

9 So die schöne Formulierung von Gustav Seibt in: *http://www. sueddeutsche.de/kultur/alternative-fuer-deutschland-sprengstoff-1.297 8532*

10 Warum hingegen kulturelle Diversität nicht nur politisch oder demokratisch erwünscht, sondern auch von ökonomischem Vorteil sein kann, darüber gibt es einige Studien. Vgl. *http://www.nber.org/ papers/w17640* oder *https://www.americanprogress.org/issues/labor/ news/2012/07/12/11900/the-top-10-economic-facts-of-diversity-in-the-workplace/*

11 Für Marine LePen vom »Front National« beispielsweise liegt das »ursprüngliche«, »echte« Frankreich mindestens vor dem historischen Beitritt zur Europäischen Union, womöglich auch zu der Zeit de Gaulles. Frankreich ist nicht Frankreich, wenn es eingebunden ist in die EU (oder die NATO). Vor allem aber verortet Marine LePen das »richtige« Frankreich in jener historischen Zeit, in der

es keine muslimischen Franzosen gab. Wenn LePen die kulturelle und religiöse Vielfalt im Frankreich der Gegenwart kritisiert, dann unterstellt sie gern, es habe das irgendwann einmal gegeben: eine wirklich homogene französische Nation mit einer einheitlichen – wie auch immer definierten – Identität. Deswegen gilt LePen die Abstammung als entscheidendes Merkmal für das Recht auf französische Staatsangehörigkeit – und nicht, wie es in der Fünften Republik Gesetz ist, der Geburtsort.

12 Benedict Anderson, *Imagined Communities*, London / New York 1983/1991, S. 6. Eigene Übersetzung. Das Zitat lautet im Orginal: *»It is imagined because even the members of the smallest nations will never know most of their fellow members, meet them or even hear of them, yet in the minds of each lives the image of their communion.«*

13 *http://www.spiegel.de/panorama/gesellschaft/pegida-anhaenger-hetzen-gegen-nationalspieler-auf-kinderschokolade-a-1093985.html*

14 *http://www.antidiskriminierungsstelle.de/SharedDocs/Downloads/DE/publikationen/forschungsprojekt_diskriminierung_im_alltag.pdf?__blob=publicationFile*

15 »Boateng will jeder haben«, Interview mit Alexander Gauland, im: *SPIEGEL 23/2016, S. 37.*

16 Zu den Techniken des Ausgrenzens oder Diffamierens gehören – das sei auch in diesem Abschnitt noch einmal ausdrücklich hervorgehoben – nicht zuletzt die Begriffe, mit denen Menschen bezeichnet werden. Für viele, die sich im wissenschaftlichen und polit-aktivistischen Feld mit der Frage der Exklusion befassen, ist die sprachpolitische Debatte um angemessene und inklusivere Bezeichnungen existentiell wichtig. Auch die vermeintlich »selbstverständlichen« Kategorien wie »männlich / weiblich« stellen ein ethisches und sprachpolitisches Problem dar, weil sie jene Zuschreibungen und binären Spaltungen, die doch reflektiert und kritisiert werden sollten, nur wiederholen. So gibt es inzwischen eine ungeheure Vielfalt an sprachlichen Varianten und Vorschlägen, die nach angemesseneren Begriffen oder Schreibweisen suchen (so gibt es die Strategie des Sichtbarmachens aller gemeinten Geschlechter: und

dies lässt sich wiederum durch verschiedene Schreibweisen anzeigen: durch eine Doppelform, durch Schrägstriche oder durch das Binnen-I; es gibt aber auch die Strategie der Neutralisierung, bei der jede Erkennbarkeit des Geschlechts und der Norm der Zweigeschlechtlichkeit vermieden wird). Wichtig bleibt für mich auch an dieser Stelle festzuhalten, dass »männlich / weiblich«, wie sie hier im Text verwendet werden, nicht als einfach gegebene, objektive Tatsachen behauptet werden – sondern immer auch als historisch und kulturell geprägte Formen. Wer mit welchem Recht in einem bestimmtem Umfeld als »männlich« oder »weiblich« gesehen wird und gelten darf, eben das ist kontrovers und Thema dieses Abschnitts. Ich hoffe, dass die Formulierungen und Begriffe, die ich verwende, als respektvoll und doch auch noch verständlich empfunden werden.

17 Ganz herzlichen Dank an Tucké Royale und Maria Sabine Augstein für die Geduld, mit der sie mir Fragen beantwortet haben, für die Offenheit, mit der sie mir auch Persönliches anvertraut haben, und für die fundierte und konstruktive Kritik. Für Schwächen oder Fehler im nachfolgenden Abschnitt bleibe ich selbstverständlich allein verantwortlich.

18 Zur Entstehung des geschlechtlichen Körpers waren u. a. die historischen Studien von Claudia Honegger, *Die Ordnung der Geschlechter*, Frankfurt am Main 1991; Thomas Laqueur, *Auf den Leib geschrieben*, Frankfurt am Main 1992; und Barbara Duden, *Geschichte unter der Haut*, Stuttgart 1991 einschlägig. Zur Idee von Geschlecht als gesellschaftlich-kultureller Existenzweise siehe: Andrea Maihofer, *Geschlecht als Existenzweise*, Frankfurt am Main 1995.

19 Siehe zu der Frage wie »Differenz im Verhältnis zu Macht- und Herrschaftsverhältnissen gedacht werden kann«: Quaestio / Nico J. Beger / Sabine Hark / Antke Engel / Corinna Genschel / Eva Schäfer (Hrsg.), *Queering Demokratie*, Berlin 2000.

20 Für die zweite Version: siehe Stefan Hirschauer, *Die soziale Konstruktion der Transsexualität. Über die Medizin und den Geschlechtswechsel*, Frankfurt am Main 1993/2015.

21 Um es noch etwas präziser und vielleicht auch überraschender zu beschreiben: Es gibt durchaus auch Transpersonen, die gar nicht grundsätzlich ihre angeborenen Geschlechtsmerkmale als »falsch« oder »störend« empfinden. Sie finden sie womöglich sogar schön und passend. Was für sie nicht passt, ist die Deutung dieser Merkmale als »eindeutig weiblich« oder »eindeutig männlich«.

22 Vgl. auch Andrea Allerkamp, *Anruf, Adresse, Appell. Figuration der Kommunikation in Philosophie und Literatur*, Bielefeld 2005, S. 31–41.

23 Mari J. Matsuda / Charles R. Lawrence III. / Richard Delgado / Kimberlè Williams Crenshaw (eds.), *Words that Wound. Critical Race Theory, Assaultive Speech, and the First Amendment*, Boulder / Colorado 1993, S. 5.

24 »Durch das Sprechen verletzt zu werden bedeutet, dass man Kontext verliert, also buchstäblich nicht mehr weiß, wo man ist«, schreibt Judith Butler in *Hass spricht*. Judith Butler, *Hass spricht. Zur Politik des Performativen*, Berlin 1998, S. 12.

25 Die Zahlen zitiert nach Jacqueline Rose, »Who do you think you are«?, in: *London Review of Books*, Vol. 38, No. 9, 2. Mai 2016 *http://www.lrb.co.uk/v38/n09/jacqueline-rose/who-do-you-think-you-are*

26 Bei »Packern« handelt es sich um unterschiedliche Sorten von Penis-Prothesen. Mit »Bindern« lassen sich Brüste abbinden und auf diese Weise von außen weniger sichtbar machen. Dank an Laura Méritt, die ihr Wissen so großzügig wie humorvoll teilt.

27 Dieser Wunsch, die offizielle Geschlechtszugehörigkeit oder auch den Körper der inneren Überzeugung anzupassen, hat im Übrigen nichts mit der Frage der sexuellen Orientierung zu tun. Transsexualität betrifft, wie die Schriftstellerin und Aktivistin Jennifer Finney Boylan es einmal beschrieben hat, »nicht die Frage, *mit wem* Du schlafen willst, sondern *als wer* Du mit jemandem schlafen willst«. Zitiert in Jacqueline Rose, »Who do you think you are?«, *http://www.lrb.co.uk/v38/n09/jacqueline-rose/who-do-you-think-you-are*

28 Paul B. Preciado, *Testo Junkie. Sex Drogen Biopolitik in der Ära der Pharmapornographie*, Berlin 2016, S. 149.

29 Vgl. den Eintrag von Julian Carter, »Transition«, in: *Posttranssexual. Key Concepts for a Twenty-First-Century Transgender Studies, TSQ, Vol. 1, No. 1–2,* Mai 2014, S. 235 ff.

30 Paul B. Preciado, *Testo Junkie*, S. 68 f.

31 Paul B. Preciado, *Testo Junkie*, S. 57.

32 Hier der Gesetzestext: *http://www.gesetze-im-internet.de/tsg/ BJNR016540980.html*

33 Ebenda. Es gibt noch den Zusatz, dass »mit hoher Wahrscheinlichkeit anzunehmen ist, dass sich ihr Zugehörigkeitsempfinden zum anderen Geschlecht nicht mehr ändern wird«.

34 *https://www.bundesverfassungsgericht.de/entscheidungen/rs20110111_ 1bvr329507.html*

35 Zu einer kritischen Diskussion der Pathologisierung von Transpersonen siehe: Diana Demiel, »Was bedeuten DSM-IV und ICD-10?«, in: Anne Alex (Hrsg.), *Stop Trans*Pathologisierung*, Neu-Ulm 2014, S. 43–51.

36 Daniel Mendelsohn, *The Elusive Embrace*, New York 2000, S. 25 f. Eigene Übersetzung. Das Zitat lautet im Original: »*If you spend a long enough time reading Greek literature that rhythm begins to structure your thinking about other things, too. The world* men *you were born into; the world* de *you choose to inhabit.*«

37 Besonders der neu-rechte Diskurs verlangt diese Eindeutigkeit. »Geschlecht fungiert in diesem Zusammenhang als sozialer Platzanweiser innerhalb der streng anti-individualistischen und autoritär-hierarchischen Konstruktion der ›Volksgemeinschaft‹. Entwürfe von Männlichkeit(en) und Weiblichkeit(en) sind funktional für den inneren Zusammenhalt der Gemeinschaft.« So: Juliane Lang, »Familie und Vaterland in der Krise. Der extrem rechte Diskurs um Gender«, in: Sabine Hark / Paula-Irene Villa (Hrsg.), *Anti-Genderismus. Sexualität und Geschlecht als Schauplätze aktueller politischer Auseinandersetzungen*, Bielefeld 2015, S. 169.

38 Kurioserweise müssen Transpersonen die vom Amtsgericht geforderten psychiatrischen Gutachten selbst bezahlen. Die Hormontherapie wiederum wird, so das Gutachten einmal die Diagnose

»Transsexualität« attestiert hat, von der Krankenkasse übernommen. Das erscheint widersprüchlich: Entweder wertet der Gesetzgeber »Transsexualität« als Krankheit. Dann müsste aber auch das Gutachten, das das Amtsgericht fordert, durch die Krankenkasse bezahlt werden.

39 Zu der fehlenden Sensibilität gegenüber Gewalt gegen gender-nonforme Menschen siehe: Ines Pohlkamp, *Genderbashing. Diskriminierung und Gewalt an den Grenzen der Zweigeschlechtlichkeit*, Münster 2014.

40 Siehe dazu auch *http://www.sueddeutsche.de/politik/kolumne-orlando-1.3038967*

41 Didier Eribon, *Rückkehr nach Reims*, Berlin 2016, S. 210 f.

42 *http://hatecrime.osce.org/germany?year=2014*

43 Wichtig bei der Beschreibung der Gewalt gegen Transpersonen ist es zudem, die besondere Gefährdung von *People of Color* oder nicht-weißen Transpersonen zu reflektieren. Transfeindlichkeit und Rassismus formen eine grausame Allianz, und die doppelte Schutzlosigkeit darf nicht übersehen werden. Die sieben Transfrauen, die in den ersten sieben Wochen des Jahres 2015 in den USA ermordet wurden, waren alle *People of Color*. Die besondere Schutzlosigkeit hat häufig auch damit zu tun, dass viele als *People of Color* besonders marginalisiert sind, keinen Job finden und in der Folge zur Sex-Arbeit genötigt sind. In der Rechtelosigkeit dieser Situation werden sie besonders leicht Opfer von brutalster Gewalt.

44 Sehr häufig wird transphobe Gewalt auch damit »begründet«, der Täter sei von der Transperson über ihr Geschlecht »getäuscht« worden. Dem Opfer von Gewalt wird so auch noch die Schuld an der Gewalt zugeschoben. Über dieses Muster der Rechtfertigung transphober Gewalt siehe: Talia Mae Bettcher, Evil Deceivers and Make-Believers, in: Susan Stryker/Aren Z. Aizura (eds.), *The Transgender Studies Reader Vol. 2*, New York 2013, S. 278–290.

45 *http://www.dw.com/de/transgender-toilettenstreit-in-usa-auf-neuem-höhepunkt/a-19283386*

46 *https://www.hrw.org/report/2016/03/23/do-you-see-how-much-im-suffering-here/abuse-against-transgender-women-us#290612*

47 Für den Fall der erwünschten medizinischen Geschlechtsangleichung wäre wiederum eine Begutachtung – schon aus krankenkassenrechtlichen Gründen – sinnvoll. Aber das ist eine kontroverse Frage: Für manche ist die Vorstellung der Pathologisierung inakzeptabel, für andere ist die Frage der ökonomischen Kosten relevanter.

48 Daniel Mendelsohn, *The Elusive Embrace*, S. 26 f. Eigene Übersetzung. Das Zitat lautet im Original: »*What is interesting about the peculiarity of Greek, though, is that the men… de sequence is not always necessarily oppositional. Sometimes – often – it can merely link two notions or quantities or names, connecting rather than separating, multiplying rather than dividing.*«

49 Es gibt die Spekulation, dass dies der Grund für die Auswahl des *Bataclan* als Anschlagsort gewesen sei: *http://www.lepoint.fr/societe/le-bataclan-une-cible-regulierement-visee-14–11–2015–1981544_23.php*

50 Wobei ja noch nicht einmal gewiss ist, ob sie wirklich homosexuell lieben oder ob ihnen das lediglich zugeschrieben wird.

51 *http://time.com/4144457/how-terrorists-kill/*. Eigene Übersetzung. Das Zitat lautet im Original: »*Although I have studied jihadist culture for a decade, I am still astounded and dismayed by its ability to inspire individuals to take innocent life.*«

52 Vgl. Katajun Amirpur in: *https://www.blaetter.de/archiv/jahrgaenge/2015/januar/»islam-gleich-gewalt«*

53 Zu den bildpolitischen Strategien wird hier weniger zu lesen sein. Dazu mehr in meinem Text über das James-Foley-Video, siehe: *http://www.deutscheakademie.de/de/auszeichnungen/johann-heinrich-merck-preis/carolin-emcke/dankrede*

54 *http://www.nytimes.com/2014/12/29/us/politics/in-battle-to-defang-isis-us-targets-its-psychology-.html?_r=0*. Eigene Übersetzung. Das Zitat lautet im Original: »*We do not understand the movement, and until we do, we are not going to defeat it. We have not defeated the idea. We do not even understand the idea.*«

55 *http://thedailyworld.com/opinion/columnist/terrorism-book*

56 Die Erklärungen von al-Adnani finden sich in englischer Übersetzung hier: *https://pietervanostaeyen.com/category/al-adnani-2/*

57 Zur Rolle al-Sarqawis: Yassin Musharbash, *Die neue al-Qaida. Innenansichten eines lernenden Terror-Netzwerks*, Köln 2007, S. 54–61.

58 Der Link ist nur als Nachweis, nicht als Empfehlung angegeben. Er ist mit ausdrücklicher Vorwarnung gesetzt, weil es sich hier eben um Propaganda-Material des IS handelt. Für Jugendliche ist dieser Film nicht geeignet. Er enthält Sequenzen voller Gewalt und preist das Terror-Regime des IS. *http://www.liveleak.com/view?i= 181_1406666485*

59 *http://www.gatestoneinstitute.org/documents/baghdadi-caliph.pdf.* Eigene Übersetzung. Im Original lautet das Zitat: »*You have a state and a khiläfah where the Arab and the non-Arab, the white man and the black man, the eastener and the westener are all brothers.*« Das im übernächsten Satz folgende Zitat lautet im Original: »*The Islamic State does not recognize synthetic borders nor any citizenship besides Islam.*«

60 Einer der Propaganda-Filme des IS ist explizit der Frage der Grenzen gewidmet: der 12-minütige *Breaking the Borders*. Die Kontroverse, inwiefern es dem IS tatsächlich gelungen sein könnte, ein proto-staatliches Gebilde aufzubauen, ist interessant. Siehe dazu auch in dem exzellenten Blog des ZEIT-Autors Yassin Musharbash den Gastbeitrag: *http://blog.zeit.de/radikale-ansichten/2015/11/24/ warum-der-is-die-weltordnung-nicht-gefahrdet/#more-1142*

61 Fawaz Gerges schreibt in seinem Buch *Isis – A History*, dass 30 Prozent der oberen Führungsebene des militärischen Arms des IS aus ehemaligen Offizieren der irakischen Armee oder Polizei bestehen, die im Zuge des De-Baathifizierungs-Programms der Amerikaner ihre Posten verloren hatten. Siehe: *http://www.nybooks.com/articles/ 2016/06/23/how-to-understand-isis/*

62 In al-Bagdadis *A Message to the Mujahidin and the Muslim Ummah in the Month of Ramadan. http://www.gatestoneinstitute.org/documents/baghdadi-caliph.pdf.* Eigene Übersetzung. Das Zitat lautet im Original: »*Muslims will walk everywhere as a master.*«

63 Über das besondere Verständnis von Zeitlichkeit des IS vgl. Yassin Musharbash in seinem »Grundkurs djihadistische Ideologie«, *http:// blog.zeit.de/radikale-ansichten/2015/03/30/wie-tickt-der1/*

64 So wie sich weltweit muslimische Gelehrte gegen die Entstellung des Islam durch den IS wehren, so verweigern auch viele sunnitische Stämme im Irak und in Syrien dem IS ihre Loyalität. Die komplexe politische und soziale Wirklichkeit im Ausland wie im eigenen Territorium, so betont Fawaz A. Gerges, scheint al-Bagdadi unterschätzt zu haben. *http://www.latimes.com/opinion/op-ed/ la-oe-0417-gerges-islamicstate-theorists-20160417-story.html*

65 Mary Douglas, *Purity and Danger. An Analysis of Concepts of Pollution and Taboo*, London / New York 1966, S. 3. Eigene Übersetzung. Das Zitat lautet im Original: *»Pollution claims can be used in dialogue of claims and counter-claims to status.«*

66 *http://www.independent.co.uk/news/world/middle-east/isis-executes-at-least-120-fighters-for-trying-to-flee-and-go-home-9947805.html*

67 Die PDF-Version des Textes findet sich hier: *http://www.liveleak. com/view?i=805_1404412169*, Zitat, S. 14. Eigene Übersetzung. Das Zitat lautet im Original: *»The Power of the masses was tamed and its self-awareness dissipated through thousands of diversions.«*

68 Eine psychoanalytische Lesart würde diesem Reinheits-Kult (mit extremer Ordnungsliebe und der Angst vor Kontrollverlust) womöglich einen »Analcharakter« attestieren. Zu dem Zusammenhang von Populismus und Vorstellung von Reinheit – jenseits des IS – siehe: Robert Pfaller, *Das schmutzige Heilige und die reine Vernunft. Symptome der Gegenwartskultur*, Frankfurt am Main 2008, S. 180–195.

69 *The Management of Savagery*, *http://www.liveleak.com/view?i=805_ 1404412169*, S. 72. Eigene Übersetzung. Das Zitat lautet im Original: *»If we are not violent in our jihad and if softness seizes us, that will be a major factor in the loss of the element of strength.«*

70 Das Zitat entstammt Punkt 7 in dieser Rede. *https://pietervanos taeyen.files.wordpress.com/2014/12/say_i_am_on_clear_proof_from_ my_lord-englishwww-islamicline-com.pdf.* Eigene Übersetzung. Das

Zitat lautet im Original: »*We believe that secularism despite its diffe-rences in its flags and parties (...) is a clear disbelief, opposing to Islam, and he who practices it, is not a Muslim.*«

71 *http://www.jerusalemonline.com/news/world-news/around-the-globe/ isis-warns-refugees-dont-flee-to-europe-15954*

3. LOB DES UNREINEN

1 *Diderots Enzyklopädie*, hrsg. von Annette Selig und Rainer Wieland, Berlin 2013, S. 157.

2 Aleida Assmann, »Ähnlichkeit als Performanz. Ein neuer Zugang zu Identitätskonstruktionen und Empathie-Regimen«, in: Anil Bhati / Dorothee Kimmich (Hrsg.), *Ähnlichkeit. Ein kulturtheoreti-sches Paradigma*, Konstanz 2015, S. 171.

3 Hannah Arendt, *Vita Activa oder Vom tätigen Leben*, München 1967/1981, S. 11.

4 Hannah Arendt, *Vita Activa*, S. 15.

5 Jean-Luc Nancy, *Singulär Plural Sein*, Zürich 2004/2012, S. 61.

6 Ingeborg Bachmann, »Frankfurter Vorlesungen«, in: Ingeborg Bachmann *Werke*, Bd. 4, München 1978/1993, S. 192 f.

7 Martin Saar, *Immanenz der Macht. Politische Theorie nach Spinoza*, Berlin 2013, S. 395.

8 »Blickveränderungen«, in: *Lettre Nr. 109,* Sommer 2015.

9 Über die besondere Aufgabe der Erinnerung an die Shoah in der Gegenwart habe ich auch hier geschrieben: *http://www.sueddeutsche. de/politik/kolumne-erinnern-1.2840316* sowie ausführlich in Carolin Emcke, *Weil es sagbar ist. Zeugenschaft und Gerechtigkeit*, Frankfurt am Main 2013.

10 Vermutlich liegt das daran, dass internationale Literatur zumeist im Original zu lesen sein soll – und dadurch im Fremdsprachenun-terricht verankert wird. Hier wäre zu erwägen, ob nicht ein eigenes Fach für internationale Kulturgeschichte oder Welt-Literatur sinn-voller wäre.

11 Michel Foucault, »Vorlesung 2 (Sitzung vom 12. Januar 1983)«, in: Ders., *Die Regierung des Selbst und der anderen*, Frankfurt am Main 2009, S. 63–104.

12 Eva Illouz, *Israel*, Berlin 2015, S. 7 f.

13 Albrecht Koschorke, *Wahrheit und Erfindung. Grundzüge einer allgemeinen Erzähltheorie*, Frankfurt am Main 2012, S. 20.

14 Das Format des »Hate Poetry Slam« ist in der Gegenwart eine solche kreative Intervention, die das Wahrsprechen gegen Hass und Fanatismus mit Humor und Ironie auffüllt. Gegründet und entwickelt haben den »Hate Poetry Slam« Ebru Taşdemir, Doris Akrap, Deniz Yücel, Mely Kiyak und Yassin Musharbash – später kamen noch Özlem Gezer, Özlem Topçu, Hasnain Kazim und Mohamed Amjahid dazu. Bei dem Programm, das in Clubs oder Theatern vor Publikum stattfindet, lesen die Journalistinnen und Journalisten eine Auswahl der übelsten Hass-Briefe vor, die sie von Leserinnen und Lesern ihrer Texte erhalten haben. Die Briefe sind an die Journalistinnen und Journalisten persönlich adressiert und überschütten sie mit Kaskaden rassistischer und sexistischer Beschimpfungen. Sie beleidigen und verunglimpfen (übrigens oft in erschütternd schlechtem Deutsch), sie zetern und keilen voller Klassendünkel und islamfeindlichem Hass. In dem »Hate Poetry«-Format nun tragen die Empfängerinnen und Empfänger diese an sie gerichteten Briefe selbst vor, sie holen sie aus der Stille der Redaktionen hervor auf die Bühne und befreien damit auch sich selbst aus jener Ohnmacht und Melancholie, die normalerweise alle befällt, die solche Post erhalten. Sie unterbrechen mit dem Öffentlichmachen dieser Hass-Post jene Zweisamkeit, in die ein Brief, auch der ekelhafteste, Absender und Adressaten zwingt. Sie wollen diesen Hass nicht allein aushalten. Sie wollen ihn auch nicht klaglos dulden. Sondern sie wollen die Öffentlichkeit hinzuziehen, als Zeugen, als Publikum – sie wollen aus dem Zustand der wehrlosen Adressaten des Hasses heraustreten und eine ironische Lesung inszenieren, die den Rassismus bloßstellt und unterläuft. Den »Hate-Poetry«-Mitwirkenden gelingt eine wirkungsmächtige Verdrehung von Subjekt und Objekt, die

239

so klug wie witzig ist: Nicht mehr die vermeintliche Herkunft der Journalistinnen und Journalisten, nicht mehr ihre vermeintliche Identität, ihre Religion, ihr Aussehen sind das Objekt des Hasses, sondern die Texte des Hasses sind das Objekt des Lachens. Dabei kommen sie ohne Denunziation der Urheber der Briefe aus. Es wird nicht gegen einen nationalistischen, rassistischen »Mob« gewütet, sondern über das, was sie sagen und tun, wird gelacht. Es wird weiterverarbeitet und gewandelt durch ironische Dissidenz. Und so wird beim »Hate Poetry« nicht nur vorgelesen, sondern es wird eine Party veranstaltet, es wird gefeiert: Die betroffenen Journalistinnen und Journalisten treten ein in einen Wettbewerb um den widerlichsten Leserbrief in den Kategorien »Sehr geehrte Frau F ..., lieber Herr Arschloch«, »Abo-Kündigungen«, »Große Oper« und »Kurz und schmutzig«. Das Publikum darf abstimmen. Das ist ein heikles Unterfangen, denn durch den Humor auf dem Podium werden die Zuschauer zum Lachen über Texte und Begriffe verleitet, die nicht witzig, sondern nur widerlich sind. Der rohe Rassismus, die Islamfeindlichkeit, der Sexismus und die Menschenverachtung, die da zu hören sind, beschämen und entsetzen. Beim Zuhören legt sich die Wucht der sprachlichen Verletzung zunächst auch über alle im Publikum – und lässt jeden und jede fragen: Wie fühlt sich das an? Könnte auch ich gemeint sein? Warum nicht? Welche Position nehme ich hier ein: als Zuhörerin, als jemand, die nicht gemeint ist mit diesen Briefen? Jede und jeder muss sich fragen: Wie verhalte ich mich zu dieser Sprache? Zu diesem Hass? Was bedeutet es, darüber zu lachen? Wie sieht eine angemessene Reaktion aus? Dem Format gelingt es mit seinem kreativen Widerstand, dass nicht nur das Lachen auf dem Podium ansteckend wirkt, sondern dass eine wirklich ernste Reflexion auf den Alltagsrassismus, die eigene soziale Position und die Frage der notwendig-solidarischen Allianzen stattfindet.

15 Hannah Arendt, *Vita Activa*, S. 194.